MUSÉE D'ART MODERNE

MODERNE

DE LA VILLE DE PARIS

guide général

PARIS musées

Introduction

Dans le Paris de l'entre-deux-guerres, la scène artistique contemporaine devait se contenter d'institutions muséales héritées du dix-neuvième siècle. Ainsi du Musée du Luxembourg, le premier musée d'art moderne, créé en 1818 par Louis XVIII pour y montrer la production des artistes vivants et qui allait, dès l'installation du Sénat dans le palais du Luxembourg, devoir déménager dans l'Orangerie du Luxembourg, inaugurée le 1er avril 1886. Ce bâtiment se révélant vite exigu pour les collections, et faute d'implantations nouvelles, malgré divers projets qui n'aboutirent pas, on procéda à des transferts : d'abord, en 1922, celui des œuvres d'artistes étrangers, vers le Jeu de Paume, qui, dix ans plus tard, prit le nom de Musée des écoles étrangères contemporaines. Puis, en 1927-28, le legs Caillebotte – effectué en 1894 –, et les œuvres françaises consacrées furent versées au Musée du Louvre.

Quant à la municipalité parisienne, elle présentait ses collections dans son propre musée, le palais des Beaux-Arts de la Ville de Paris inauguré en 1901 au Petit Palais, bâtiment construit pour l'Exposition universelle de 1900.

L'art contemporain souffrait donc d'une curieuse partition dans des locaux anciens ou peu adaptés au moment où la nouvelle science muséologique exigeait des outils performants.

Dès 1899, le conservateur du Luxembourg, Léonce Benedite, réclamait un nouveau musée, et la Société des amis du Luxembourg, créée en 1903, soutenait cette idée. Mais il fallut attendre une vingtaine d'années et l'organisation en 1925 d'une « Exposition internationale des Arts décoratifs et industriels modernes » pour s'inquiéter de ce que le public étranger verrait dans les musées. Le débat est alors relancé avec une campagne de presse, organisée sous la forme d'une enquête par la revue *L'Art vivant*. Celle-ci, en juillet-août-septembre de cette même année, va publier les réponses de soixante-quatre personnalités du monde de l'art – artistes, critiques, collectionneurs, marchands, écrivains, journalistes – aux deux questions « que pensez-vous de la création d'un musée français d'art moderne ? », et «quels sont les dix artistes – peintres et sculpteurs – actuellement vivants qui doivent y entrer les premiers ? ». L'insistance sur le paramètre nationaliste est symptomatique du moment et l'on se souvient que, malgré les demandes répétées de leur conservateur André Dezarrois, les collections du Musée des écoles étrangères, qui, logiquement, auraient dû équilibrer celles de l'École française, ne devaient pas quitter le Jeu de Paume avant la fin de l'exposition de 1937; elles rejoindraient, en août 1942, celles du Musée national d'art moderne, dans l'aile occidentale du palais de Tokyo.

Cette enquête révélait clairement la faillite de la mission d'origine du Luxembourg – être le « Musée des Artistes vivants » –, dont les acquisitions privilégiaient toujours plus l'académisme des Salons. Elle montrait aussi qu'une majorité de personnes sondées se déclarait partisane d'un nouveau musée et l'idée fut reprise en 1928 par Louis Hautecœur, successeur de Charles Masson, nommé à la mort de Léonce Benedite. Il imagina ainsi plusieurs solutions qui se heurtèrent toutes à des obstacles administratifs, avant d'élaborer, en 1932, un premier programme pour un nouveau musée.

Parallèllement, le musée du Petit Palais connaissait aussi des difficultés d'encombrement. Entre les collections d'art ancien du legs Dutuit en 1902 et les œuvres contemporaines, la mission du musée, pour son conservateur Raymond Escholier, devenait confuse, et la solution, là aussi, semblait être de regrouper en un autre édifice les œuvres des artistes vivants.

LE PROGRAMME : UN BÂTIMENT POUR DEUX MUSÉES

Au début des années 30, un consensus semblait donc imposer l'idée de créer à Paris un musée d'art moderne digne de ce nom. En l'absence d'une véritable volonté politique, il ne manquait plus que l'occasion pour créer une dynamique.

Le prétexte en sera donné par la décision d'organiser à Paris une «Exposition internationale des arts et techniques dans la vie moderne». Ces manifestations laissant toujours derrière elles certains équipements, en priorité culturels, on pouvait imaginer inclure dans ses réalisations durables le musée manquant et désormais devenu indispensable en tant que témoignage de prestige du génie français.

Le 16 janvier 1933, un décret décidait que l'Exposition aurait lieu en 1937 et qu'elle comprendrait diverses sections : arts décoratifs et industriels, coopération intellectuelle, vie ouvrière et paysanne. Deux mois plus tard, le Conseil de Paris, dans ses délibérations, proposait l'installation de l'exposition au centre de Paris, en bordure de la Seine, du pont Alexandre-III au pont d'Iéna.

Restaient à fixer les cadres de la collaboration entre la Ville et l'État et à choisir les terrains et leurs affectations. Ce fut chose faite en mai 1934 avec un projet de convention signé entre les deux parties dont l'article 6 déterminait les conditions de naissance non pas d'un musée d'art moderne mais de deux, le souhait de Raymond Escholier ayant pu finalement rejoindre celui du programmateur Louis Hautecœur. L'État abandonnait un terrain, non pas celui, souhaité, du garde-meuble, quai d'Orsay, mais celui de l'ancienne manufacture des tapis de la Savonnerie, dévolu depuis 1836 à la Manutention militaire, situé entre l'avenue du Président-Wilson et le quai de Tokyo, pour y construire deux musées d'une superficie et d'un cubage égaux, dont l'un serait remis à la Ville qui s'engageait, en contrepartie, à garantir l'emprunt lancé pour financer l'exposition. Le musée d'État, initialement prévu, s'enrichissait ainsi d'un jumeau municipal, rançon d'un gage financier que, finalement, la Ville n'aurait pas à donner – puisque les fonds nécessaires furent pris sur les recettes de la loterie ou votés par le parlement.

Louis Hautecœur révisa en août 1934 son programme des installations à prévoir désormais pour « la construction de musées d'art moderne destinés à abriter les collections de l'État et de la Ville de Paris ». « Le musée de la Ville de Paris, notait-il en préambule, est destiné à recevoir des œuvres d'art moderne de sculpture, peinture, architecture et arts appliqués. Il constituera une annexe du Petit Palais et devra occuper une superficie et un cube équivalent à ceux du musée de l'État. » À la mi-septembre, un concours d'architecture était lancé – « Le commissariat général de l'Exposition de 1937 met au concours entre les architectes français le projet de construction de musées d'art moderne sur les terrains actuellement occupés par la Manutention militaire, avenue de Tokio (sic) et avenue du Président-Wilson » –, avec un plafond des dépenses fixé à quarante millions de francs.

LE PROJET

À partir du 30 novembre, les projets anonymes furent soumis à un jury de cinquante-sept membres et les résultats proclamés le 24 décembre 1934.

Sur les cent-vingt-huit projets déposés regroupant plus de trois cents architectes parmi lesquels les plus grands noms de l'époque – Mallet-Stevens, Le Corbusier, Tony-Garnier, le trio Boileau, Azéma, Carlu qui signerait bientôt le nouveau Trocadéro... –, c'est finalement le projet, d'une sobriété toute classique et bien dans l'air du temps, dit « Clarté », de deux jeunes architectes, Jean-Claude Dondel et André Aubert associés à deux aînés, Paul Viard et Marcel Dastugue, qui fut retenu. Les irrégularités du terrain, et surtout ses dénivellations, avaient conduit les auteurs à ménager entre les deux musées une large percée qui, à l'époque, ouvrait une perspective sur la Seine. Deux paliers étaient reliés par une colonnade formant portique autour d'un grand patio que de larges escaliers réunissaient aux terrasses entourant le miroir d'eau. Celles-ci se prolongeaient en bordure du quai dont le niveau était atteint dans l'axe de la percée par de vastes emmarchements. Toutes les parties extérieures étaient traitées en jardins de manière à y présenter des sculptures.

À l'intérieur, les plans étaient aussi fonction des dénivellations et les différences de niveau avaient permis de créer des jeux de volumes très diversifiés. Pour le traitement de la lumière que le programme prévoyait zénithale dans les salles de peinture, les architectes disaient s'être inspirés des récents musées hollandais – le Gemeente Museum à La Haye et le Boymans-van Beuningen à Rotterdam – et des nouveaux aménagements de la National Gallery de Londres. L'éclairage zénithal était diffusé de manière uniforme sur toutes les surfaces d'exposition par des plafonds vitrés. Cette uniformité était particulièrement difficile à obtenir dans les salles du rez-de-chaussée bas dont le plafond ne s'ouvrait pas directement sur l'extérieur. Sur les rues de la Manutention et Gaston-de-Saint-Paul, une disposition des salles «en peigne» permettait, compte tenu des longueurs de cimaises demandées, une meilleure pénétration du jour qui devait être réfléchi par des gorges sur un plafond vitré en verre dépoli, évitant ainsi l'inconvénient des parois en contre-jour ou violemment éclairées. Les salles de sculpture, au contraire, recevaient de hautes baies un jour latéral. Mis à part les sous-sols qui communiquaient d'un côté à l'autre par une large desserte transversale accessible aux camions, un seul équipement commun avait été prévu : une salle de conférences avec cabine de projection de 250 places, située sous le portique et utilisée une seule fois, lors de l'inauguration.

Louis Hautecœur notait que «la seule différence qui existe entre ces musées jumeaux est que, par suite de la forme du terrain, celui de la Ville de Paris est plus tassé». Le programme municipal prévoyait par ailleurs la construction d'une «grande salle d'honneur», au cœur même du musée, pour l'exposition des grandes sculptures et pour les réceptions.

Cette salle était en vérité un des éléments clés du dispositif imaginé par la Ville de Paris qui voulait en faire un salon majestueux pour ses invités de marque. Un mémoire au Conseil municipal signé par le préfet de la Seine, le 17 décembre 1936, prévoyait le double rôle que la Ville de Paris aurait à jouer pendant l'exposition : d'une part, « recevoir officiellement de nombreuses et éminentes personnalités venues pour visiter l'Exposition ; d'autre part, comme exposante, montrer l'œuvre accomplie en matière d'urbanisme et l'évolution de la capitale vers un plus grand Paris ».

Ces choix ne firent pas l'unanimité et Le Corbusier, dont le projet ambitieux n'avait même pas eu l'honneur d'une mention, remarquait dans *L'Architecture d'aujourd'hui*, en janvier 1935 : « On a primé non pas des musées, mais une rue, une pauvre petite rue de cent mètres de long, tranchant dans sa rigole, semblable aux milliers d'autres rigoles qui sillonnent Paris. »

Les critiques, en réalité, portèrent surtout sur le programme et en particulier sur ce point précis : « Pourquoi deux musées ? » ; et Raymond Escholier, avec quelque partialité, s'interrogeait aussi : « Ces deux musées d'art moderne ne vont-ils pas faire double emploi ? De toute évidence, il eût été préférable qu'on édifiât quai de Tokio (sic) un seul musée, celui de la Ville de Paris, propriétaire de ce terrain. Pour le musée d'État, le mieux n'était-il pas de le laisser, sur la rive gauche, aux parages du Luxembourg, dans l'ancien séminaire Saint-Sulpice ? Mais de telles hypothèses appartiennent au passé. On peut, on doit convenir que de ce voisinage entre les deux musées, d'une telle émulation entre la Ville et l'État, les arts et les artistes ne pourront que bénéficier... » Double emploi regrettable, ou émulation saine entre les deux institutions, les avis restaient partagés et, pour créer une certaine variété, un accord intervint qui prévoyait que les arts plastiques devaient dominer au musée de l'État et qu'au contraire les arts décoratifs, les « arts de la vie de Paris », auraient une place prépondérante dans le musée municipal, découpage commode qui ne serait bien sûr jamais respecté.

LE CHANTIER

Le 1er janvier 1935, les architectes désignés mettaient au point leur projet, pour le remanier en mars, lorsque fut décidée l'adjonction du terrain de l'hôtel de l'ambassade de Pologne qui formait, à l'angle du quai de Tokyo et de la rue Gaston-de-Saint-Paul, une enclave dans l'enceinte affectée à la construction, et particulièrement du côté du musée de la Ville de Paris. Le 10 mars 1935 pouvait commencer la démolition de la Manutention, terminée le 30 avril. Le 5 juillet, le président de la République Albert Lebrun posait, en grande pompe, la première pierre. Le calendrier d'exécution des travaux prévoyait l'intervention de vingt corps d'État et le travail quotidien de plus de mille ouvriers, aussi bien pour la préparation des matériaux en usine ou en carrière que pour leur mise en place sur le chantier. Les fondations étaient terminées le 30 avril 1936 – avec près de deux mille pieux en béton reposant sur un banc de sable situé à seize mètres de profondeur pour supporter l'ossature en béton armé –, en même temps que la démolition de l'ambassade de Pologne, et le 15 mars, les premières semelles de béton étaient coulées.

Au fur et à mesure de l'élévation des façades qui étaient traitées dans un rythme de grandes lignes simples et revêtues de pierres – comblanchien, massangis ou travertin – , les artistes prévus pour animer cette ordonnance toute classique purent intervenir. Un grand bas-relief d'Alfred Janniot – qui avait déjà décoré en 1931 le palais des Colonies – accompagnait, sous la forme d'une allégorie à la gloire des arts, les escaliers extérieurs ; sur les deux ailes s'ouvrant vers la Seine, Léon Baudry et Marcel Gaumont ponctuaient de leurs métopes peuplées de centaures et de naïades la cadence sévère des hautes fenêtres. Les deux portes monumentales en bronze des musées sur l'avenue du Président-Wilson étaient confiées à André Bizette-Lindet et à Gabriel Forestier, tandis que Louis-Jules Dideron consacrait à la porte du musée municipal sur le quai de Tokyo une allégorie de la Ville de Paris. Au centre du parvis-haut fut installé, à la place de l'*Apollon* de Charles Despiau initialement prévu et que ce dernier n'avait pu terminer à temps, un grand bronze d'André Bourdelle, *Le Génie de la France*. Sur le parvis-bas, la fontaine de Félix-Pascal Févola alimentait le miroir d'eau entouré de figures allongées de Léon Drivier, Auguste Guénot et Louis Dejean, accompagnées de statues d'André Abbal, Georges Chauvel, René Collamarini, Jean-René Debarre, Louis-Aimé Lejeune, Charles Malfray, Jean Osouf, Émile-François Popineau, Anna Quinquaud, Georges Saupique, Paul Simon et Pierre Vigoureux.

L'INAUGURATION POUR L'EXPOSITION DE 1937

Malgré le climat social difficile, le calendrier des travaux fut à peu près respecté, et le palais de Tokyo put être inauguré par le président Lebrun le 24 mai 1937. Dans l'aile de l'État, une exposition organisée par le directeur général des Beaux-Arts, Georges Huisman, était consacrée aux « Chefs-d'œuvre de l'art français » : 430 peintures, 170 sculptures, 280 dessins, 75 tapisseries, 150 gravures, 55 manuscrits et 115 objets d'art avaient été réunis pour ce panorama de l'art français depuis la Renaissance. Le musée de la Ville, quant à lui, proposait plusieurs expositions : au rez-de-chaussée bas, le Pavillon de la Ville de Paris racontait l'histoire de la capitale et de ses environs, à l'aide de cartes, de plans, et de peintures. Au rez-de-chaussée haut, un ensemble de manifestations présentait la muséographie à travers trois types de musées ; pour le musée « d'art », une exposition dédiée à « La vie et l'œuvre de Van Gogh » avait été conçue par René Huyghe, avec Michel Florisoone et John Rewald. Pour le musée « d'histoire », une autre, dirigée par Gustave Cohen, s'intéressait au théâtre au Moyen Âge ; le musée « scientifique », avec Georges-Henri Rivière, montrait la maison rurale française. Enfin, une section « popularisation » exposait les moyens de développer l'attrait des musées auprès du grand public. À l'étage, l'exposition « Les échanges intellectuels à travers le monde » avait été organisée par Louis Gallié et Georges-Henri Rivière et réalisée par Jean Lurçat et André Vigneau. Comme prévu, la grande salle d'honneur recevait, dans un aménagement de Halley, le commissariat général de l'exposition.

1938-1954

L'exposition de 1937 s'acheva le 25 novembre sur un franc succès, malgré un important déficit financier : quarante-quatre nations y avaient participé et plus de trente et un millions de visiteurs l'avaient parcourue. Les musées d'art moderne qui lui survivraient pouvaient commencer leur vraie vie.

Le musée destiné à la Ville lui fut remis le 1er août 1938. La Ville fit alors valoir le non-achèvement de l'édifice, mais, malgré ses nombreuses réclamations, n'obtint pas de l'État les crédits nécessaires à l'exécution des travaux de finition indispensables pour une utilisation du bâtiment conforme à sa destination. Les locaux demeurèrent donc vacants jusqu'en 1940.

Fin 1940, le préfet de la Seine mit le bâtiment à la disposition de l'Entraide des artistes pour y organiser des Salons et éviter ainsi la réquisition du lieu par les Allemands. Se succédaient alors le Salon des indépendants, le Salon des artistes français, le Salon des Tuileries, le Salon du dessin créé pour occuper le bâtiment en été, le Salon d'automne, le Salon d'hiver.

Fin 1941, les Allemands réquisitionnèrent les sous-sols pour en faire des magasins de séquestre de biens juifs : côté musée national, du mobilier (pianos, etc.), côté musée municipal des caisses de vêtements et effets personnels.

A la Libération, les sous-sols furent peu à peu libérés (les pianos restèrent jusqu'aux années 50). Ils furent mis à la disposition de divers organismes officiels ou para-officiels et connurent différentes affectations : entrepôt de vitraux d'églises de province, dépôt des animaux naturalisés du musée de Levallois-

Perret, réserve de plans et de documents du ministère de la
Reconstruction et de l'Urbanisme, entrepôt de douanes, décors de
la compagnie Renaud-Barrault... Certains Salons regagnèrent le
Grand Palais, d'autres restèrent au musée d'Art moderne de la
Ville de Paris, dans l'incapacité, compte tenu alors de la pénurie de
moyens, de terminer ses travaux.

1954-1961

Avec le legs, en 1953, du docteur Maurice Girardin,
montré au public au Petit Palais en 1954, il devenait évident que
ce bâtiment n'était plus en mesure de présenter les œuvres d'art
moderne, d'autant plus qu'il en existait un autre dont c'était la
mission. Mais il fallait d'abord en libérer les espaces : vider les
sous-sols pour y aménager des réserves et limiter les Salons au rez-
de-chaussée haut et à l'étage, pour pouvoir installer les collections
d'art moderne au rez-de-chaussée bas. D'importants travaux de
modernisation de ce dernier niveau furent commencés en 1954 :
suppression d'escaliers, création d'accès, redistribution des salles,
abaissement de plafonds... Dans la salle dite « obscure »
(aujourd'hui « Salle Matisse ») furent présentées, à partir de 1956,
les collections et les expositions du musée du Costume, et ce
jusqu'en 1971.

Finalement, après six ans de travaux, le musée d'Art
moderne de la Ville de Paris sera inauguré le 6 juillet 1961 avec le
fonds d'œuvres d'art moderne du Petit Palais (850 peintures, 400
œuvres sur papier, 300 gravures, 300 céramiques et 250
sculptures auxquelles s'ajoutaient 164 peintures, 16 œuvres sur
papier, 250 gravures et 46 sculptures acquises de 1956 à
1960 par la commission d'achat des Beaux-Arts) et la collection
du Dr Girardin.

En 1964, *La Fée Électricité* conçue par Raoul Dufy pour le
Pavillon de l'électricité et de la lumière lors de l'exposition de
1937 fut installée dans la grande « Salle d'honneur ».

Le bâtiment restait encore l'hôte de très nombreux Salons : 27 étaient organisés chaque année, dont 19 par des professionnels et 8 par des amateurs (Association de la préfecture de Police, Salon des médecins...). Pour pouvoir déployer la collection du musée plusieurs solutions furent envisagées, en particulier l'aménagement, en 1966, dans les sous-sols, d'une salle spéciale d'expositions destinée à ces manifestations, avec une circulation et des accès autonomes sur le quai de New York.

TRAVAUX 1971-1972 ET 1992-1994

Parallèlement, le Conseil de Paris décidait, en 1967, d'une nouvelle campagne de travaux. Le chantier, ouvert en janvier 1971, sous la direction de Pierre Faucheux et Michel Jausserand, fut achevé en mai 1972. Les salles du rez-de-chaussée haut furent aménagées en dégageant l'ossature du bâtiment des multiples cloisonnements internes existant, en supprimant dans la mesure du possible les marches remplacées par des plans inclinés, en créant de nouveaux niveaux et des dispositifs techniques pour assurer une certaine souplesse d'utilisation. Le plan initial fut modifié par les créations d'un plancher coupant l'ancien hall d'entrée, d'une mezzanine pour les bureaux et le centre de documentation, d'un auditorium relié aux nouvelles salles par une passerelle à deux niveaux, et d'un ascenseur pour desservir tous les niveaux du musée. La galerie Wilson se voyait dotée d'un volume déterminé, délimité par un plafond fixe, alors que la galerie New York disposait de plafonds mobiles permettant des volumes variables qui devaient s'avérer non fonctionnels. Au sol, des trames triangulaires de douilles devaient permettre l'implantation de poteaux pour des cloisons déplaçables. Cette muséographie « mobile », typique de l'époque et marquant tellement l'espace, montra vite ses contraintes.

Vingt ans plus tard, des crédits étaient à nouveau engagés pour refaire le système de conditionnement d'air des salles d'expositions temporaires du rez-de-chaussée haut, et rendre ces dernières accessibles au public handicapé. Ce fut l'occasion pour le directeur du musée de poursuivre une vraie réhabilitation du bâtiment, déjà mise en place en 1989, lors de l'installation de l'exposition « Histoires de musée » qui révélait à un large public la qualité méconnue du bâtiment. Cette opération, menée entre 1991 et 1994 avec l'architecte Jean-François Bodin, permit de dégager de nombreux volumes initiaux, comme le seuil d'entrée avenue du Président-Wilson, en réduisant au maximum les changements de niveaux au rez-de-chaussée haut et en redonnant aux salles d'expositions, débarrassées de certains éléments obsolètes et pourvues d'un nouveau système d'éclairage, leurs dimensions maximales. Par ailleurs, l'acquisition, en 1993, de la version retrouvée de *La Danse inachevée* de Matisse rendait nécessaire, pour sa confrontation avec *La Danse de Paris,* dans les collections depuis 1937, la création d'une salle spécifique, aux dimensions requises. C'est pourquoi, au cours de ce même chantier, fut réaménagée la salle obscure, dite désormais « Salle Matisse », où sont accrochés en permanence ces deux triptyques. D'une manière systématique depuis lors, les expositions temporaires ont été l'occasion de restituer les volumes dans leur qualité d'origine : le rez-de-chaussée bas a pu, de la sorte, être petit à petit rénové. L'exposition les « Années 30 en Europe : le temps menaçant - 1929-1939 » a permis de dégager et de rendre à nouveau accessible au public une partie du grand escalier desservant, à l'ouverture du bâtiment, l'ensemble de ses niveaux.

Ainsi se présente aujourd'hui, soixante ans après son inauguration, ce musée d'Art moderne et contemporain, auquel on a voulu faire retrouver peu à peu, dans son intégrité, la qualité architecturale initiale, pour mieux répondre à sa mission privilégiée concernant Paris et l'Europe d'une part, la création contemporaine d'autre part, en le dotant ainsi d'une identité spécifique affirmée.

Juin 1997.

Dès les années trente, le Petit Palais bénéficie d'importantes donations qui seront déterminantes pour les futures collections du musée d'Art moderne de la Ville de Paris. La première est celle d'**Emanuele Sarmiento**. Né à Rome de parents colombiens d'origine italienne, il est consul de Colombie en Italie puis se fixe à Paris avant 1914. Dans l'entre-deux-guerres, lié aux artistes italiens de Paris – dont l'actif Mario Tozzi – il joue un rôle d'animateur et de mécène. Ouvert aussi bien à la « figuration » d'un artiste comme De Pisis qu'à « l'aéropeinture » futuriste de Prampolini, il participe à l'organisation de plusieurs manifestations. C'est à la suite de la grande exposition d'art italien de 1935, au musée du Jeu de Paume et au Petit Palais, qu'il donne à ce dernier, en 1936, cinquante-cinq œuvres d'artistes italiens et de l'École dite de Paris ; elles seront transférées au musée d'Art moderne à sa création.

En 1937, **Ambroise Vollard** fait don d'un bel ensemble de céramiques décorées par les peintres de l'école d'Asnières et de livres illustrés s'ajoutant aux deux bronzes de Picasso (*Fernande* et le *Fou*) déjà offerts.

Après guerre, c'est l'ampleur du legs du docteur **Maurice Girardin** (1884-1951) qui précipite le transfert des œuvres du XXe siècle du musée du Petit Palais et l'ouverture du musée d'Art moderne au palais de Tokyo, en 1961. Chirurgien-dentiste, collectionneur et mécène, il ouvre la galerie La Licorne en 1921 et mène des activités d'édition. Signant un contrat avec Gromaire en 1920 lui assurant l'exclusivité de sa production, il soutient également Maria Blanchard, se passionne pour Georges Rouault, achète presque toutes les premières œuvres de Bernard Buffet. Par ailleurs, grand amateur d'art africain et océanien, le docteur Girardin fera don d'un ensemble significatif. Dès les années vingt, il propose une donation au Petit Palais qui, compte tenu de réserves sur certains artistes, ne peut aboutir. Le legs de sa collection de cinq cents œuvres à la Ville de Paris sera accepté en 1953, après sa mort.

Marcel Gromaire, *Portrait du docteur Girardin*, 1925
Huile sur toile, 100 x 81 cm
Legs Girardin, 1953

La donation **Amos** en 1955, entrée en 1967 (Dufy), puis l'importante **collection Henry-Thomas** contribuent de façon décisive à donner au musée son identité. Amateurs discrets, voire secrets, Germaine Henry (1904-1997) et le professeur Robert Thomas (1900-1979), en plusieurs donations (1976, 1984, 1986), ont offert la majeure partie des œuvres qu'ils possédaient sous le nom générique de collection Henry-Thomas. Celle-ci complète les ensembles fauve et cubiste, en même temps qu'elle offre au musée ses premiers Picabia et Kupka. Riche de tableaux de Delaunay et de Herbin, elle s'étend aux artistes figuratifs ou abstraits de l'après-guerre. Une salle est réservée à la présentation de cette donation dont quelques œuvres ont été extraites pour renforcer le déroulement chronologique du parcours des collections permanentes.

Par ailleurs, à côté de nombreux collectionneurs privés, c'est avec une exceptionnelle générosité que les artistes eux-mêmes et leur famille contribuent activement aujourd'hui à enrichir les collections.

G. A.

Communiquer sur la toile l'énergie de la couleur pure, son expressivité, exalter sa luminosité et construire un espace simplifié, tel fut le chemin décisif vers l'émancipation de la couleur consacrant le fauvisme, première révolution esthétique du XXᵉ siècle.

Né « officiellement » lors du Salon d'automne de 1905, baptisé ironiquement par le critique Louis Vauxcelles et soutenu par Ambroise Vollard, Berthe Weill et Eugène Druet, le fauvisme constitua plus un groupe d'artistes qu'un mouvement. Il réunit les anciens élèves de Gustave Moreau, Matisse, Manguin, Camoin (...) et ceux d'Eugène Carrière dans l'académie duquel s'étaient rencontrés dès 1898 Matisse, Derain, Marquet et Puy. Ils furent bientôt rejoints par Vlaminck, Braque, Dufy, Friesz, Van Dongen.

De leurs aînés impressionnistes et post-impressionnistes, les fauves retiennent le goût pour le paysage et le plein air comme celui des scènes d'intérieur popularisées par les Nabis. Seurat, Signac, Cross leur transmettent cette jubilation qu'offrent la couleur pure et la vitalité éclatante de la lumière du Sud. Van Gogh et Gauguin précèdent les fauves dans l'exploration de la couleur comme langage, force expressive et invention passionnelle.

Avec **Pastorale** (1906), Henri Matisse (1869-1954) reprend le thème du nu et du pâtre musicien, déjà présent dans *La Joie de vivre* de 1905. Les sinuosités des collines, ombrées de cernes, celles des arbres, répondant aux courbes dessinées des corps des deux femmes au repos, construisent un rythme d'arabesques. Si la perspective et le chemin qui s'enfonce entre les montagnes évoquent d'une manière réaliste le paysage de Collioure, la scène s'est métamorphosée en un églogue agreste dans des tons ocre, jaune, rose et violet.

Cette œuvre témoigne de l'étape pointilliste du fauvisme, héritée du néo-impressionnisme, qu'expérimente aussi Georges Braque (1882-1963) dans **L'Olivier près de l'Estaque** (1906). La torpeur du paysage écrasé de soleil s'exprime par les

Henri Matisse, *Pastorale*, 1906
Huile sur toile, 46 x 55 cm
Legs Girardin, 1953

Georges Braque, *L'Olivier près de l'Estaque*, 1906
Huile sur toile, 50 x 61 cm
Donation Henry-Thomas, 1984

couleurs jaune et orangé contaminant les rugosités de l'arbre,
les murs de la maison et les champs pierreux montant jusqu'au
village, dans des tonalités de roses et de violets, caractéristiques
de la période fauve de l'artiste.

Robert Delaunay (1885-1941) dans **Paysage aux vaches** (1906) adopte lui aussi la fragmentation vibrante de la touche colorée, ordonnance sensible qui structure la composition et lui confère un caractère solaire préfigurant les *Rythmes* de sa période abstraite.

Avec Vlaminck et Derain, le fauvisme entre ici dans une phase plus radicale. La période de Chatou est illustrée par *La Rivière* (1905) de Derain où le fleuve se déroule à travers le rideau d'arbres décharnés par l'hiver.

Les touches saccadées de **Berges de la Seine à Chatou** (ca. 1905) de Maurice de Vlaminck (1876-1958) impriment le mouvement du vent avec la violence d'un Van Gogh. Les souples ramifications des chênes-lièges à l'aspect indiscipliné se mêlent aux herbes longues et flottantes qui envahissent la berge. Ici, la couleur, qui se propage en ondes décroissantes jusqu'à mourir dans la partie droite du tableau, est moins observée que réinventée par le peintre.

André Derain (1880-1954) a réalisé de multiples variations du *Phare de Collioure* (1905) lors de son premier séjour estival sur la côte pyrénéenne aux côtés de Matisse. Coloriste éblouissant, il joue des orangés, de l'ultramarine, des contrastes du peint et de la toile laissée à cru, des effets de touche et des aplats. La perspective traditionnelle fait place à une construction synthétique de l'espace par les différents plans colorés et superposés. Le peintre exprime avec lyrisme son propre « tempérament ». La science de la couleur, « cartouche de dynamite », et la nouvelle conception de la lumière, « négation des ombres, tout un monde de clarté » servent désormais l'expression « du fixe, de l'éternel, du complexe » (Derain).

Robert Delaunay, *Paysage aux vaches*, 1906
Huile sur toile, 50 x 61 cm
Donation Henry-Thomas, 1976

Maurice de Vlaminck, *Berges de la Seine à Chatou*, ca. 1905
Huile sur toile, 59 x 80 cm
Donation Henry-Thomas, 1976

Raoul Dufy, *L'Apéritif*, 1908
Huile sur toile, 59 x 72,5 cm
Legs Girardin, 1953

Dans **_L'Apéritif_** (1908), Raoul Dufy (1877-1953)
compose un paysage de l'Estaque où rayonnent autour d'un axe
central des groupes de buveurs et établit, par ce mouvement
coloré à dominantes roses et vertes, une unité spatiale
évocatrice de la fête.

La rétrospective Cézanne du Salon d'automne en 1907
ouvre aux fauves de nouvelles perspectives : Vlaminck signe
bientôt les harmonies sourdes aux allures de mosaïques des
Bords de Seine (1911), Derain, ses *Baigneuses* (1907), Dufy, ses
Paysages de Vence (1908), tandis que Braque élabore aux côtés
de Picasso le cubisme, et que Matisse, poursuivant sa recherche
d'équilibre et d'harmonie, développe l'arabesque décorative.

André Derain, *Trois Personnages assis dans l'herbe*, 1906
Huile sur toile, 38 x 55 cm
Legs Girardin, 1953

Trois Personnages assis dans l'herbe (1906)
d'André Derain (1880-1954) révèle une conception de l'espace à
partir des contrastes de couleurs complémentaires : la franchise
des ombres, le travail dans la même couleur de plusieurs tons
pour suggérer la lumière, la simplification des zones colorées et
du rendu des personnages, la déclinaison des tons font
apparaître, notamment dans le traitement allusif des visages,
des analogies avec la sculpture africaine dont Vlaminck et
Derain ont été les premiers découvreurs.

J. M.

Grâce à la générosité du docteur Girardin, le musée possède un ensemble important d'œuvres de Rouault, pour l'essentiel antérieures à 1918 : cent aquarelles et peintures, trois céramiques, ainsi que la totalité de l'œuvre gravé sur cuivre, notamment *Les Fleurs du mal* (tirage de 1927) et le *Miserere* (tirage de 1922 à 1927).

Après une formation d'artisan – Rouault est apprenti-verrier de 1885 à 1890, et restaure des vitraux – il se consacre à la peinture et suit à l'École des beaux-arts, entre 1892 et 1895, l'enseignement libéral et éclairé de Gustave Moreau, dont il est l'élève préféré. Il y apprend le maniement de la couleur, à contre-pied d'une tradition académique conférant la primauté au dessin. C'est là qu'il rencontre quelques artistes fauves. Il sera l'un des membres fondateurs, en 1903, du Salon d'automne.

De ces années de jeunesse, le musée possède quelques chefs-d'œuvre traitant de ses thèmes privilégiés. On y sent, par-delà la singularité du style, l'empreinte conjointe de Cézanne, Toulouse-Lautrec et Daumier. L'intensité d'expression de ses aquarelles et gouaches souvent associées au pastel, d'une grande complexité technique, au dessin synthétique, exécutées dans une gamme bleutée, font de Rouault, qui assignait à l'art le rôle d'une « confession ardente », l'un des premiers expressionnistes.

À Tabarin (1905, exposé au Salon des indépendants de 1906) offre une vision grave du cirque à l'aide de vives notations graphiques et colorées. Le corps distordu de la **Fille** (1906) baigne dans une tonalité bleue, introduisant une distanciation mélancolique qui atténue la trivialité présente toutefois dans les accents rouges des jarretières et du fard.

Après les *Filles* et les *Clowns*, grâce au contrat passé en 1907 avec le marchand Ambroise Vollard qui lui assure désormais une relative sécurité matérielle, Georges Rouault peut consacrer une grande part de son activité à la gravure. Parallèlement, la peinture à l'huile, en pleine pâte et aux multiples épaisseurs,

Georges Rouault, *À Tabarin (Le Chahut)*, 1905
Aquarelle et pastel sur papier, 71 x 55 cm
Legs Girardin, 1953

Georges Rouault, *Fille*, 1906
Aquarelle et pastel sur papier, 71 x 55 cm
Legs Girardin, 1953

Georges Rouault, *Crépuscule (Paysage biblique)*, 1938-1939
Huile sur toile, 70 x 55 cm
Legs Girardin, 1953

utilisée exclusivement à partir de 1918, remplace l'aquarelle. Le cerne noir, issu conjointement du vitrail et de Cézanne, y accentue son rôle structurant au fil des années, rejoignant ainsi le travail sur le noir et blanc approfondi dans la gravure.

À partir de 1930, la figure profane du clown s'incarne dans Pierrot, souvent identifié au Christ par la dérision dont ils sont tous deux l'objet. Profondément chrétien, Georges Rouault confère une intense charge spirituelle à des paysages bibliques traités avec simplicité dans un chromatisme intense et varié, inlassablement retravaillé (***Crépuscule***, 1938-1939).

« Peinture de la joie !... Pourquoi pas ? J'ai été si heureux de peindre, fou de peinture, oubliant tout dans le plus noir chagrin. Les critiques ne s'en apercevaient pas, parce que mes sujets étaient tragiques. Mais la joie n'est-elle que dans le sujet qu'on peint ? » (G. Rouault, introduction de *Stella vespertina*, 1947).

M. S.

LE CUBISME ET SON HÉRITAGE

Le Salon d'automne de 1907 rend hommage à Cézanne récemment disparu. Son œuvre, ainsi que l'art primitif et notamment la sculpture africaine traditionnelle, constituent dès lors les référents majeurs du cubisme (Picasso, *Les Demoiselles d'Avignon*, 1907, MOMA, New York). Dans un premier temps, les cubistes visent à construire le tableau à l'aide de formes et de volumes simples ou suggérés par des plans, à rompre avec la perspective héritée de la Renaissance et à décomposer le réel de manière analytique.

Ainsi, les **Baigneuses** (vers 1908) d'André Derain (1880-1954) participent à cette recherche spatiale d'insertion de figures dans un paysage, où la figure et le fond se construisent dans le même plan, que Cézanne a particulièrement privilégiée. Esquisse pour la version monumentale du Musée national de Prague, cette œuvre constitue le jalon essentiel qui mène à une interprétation personnelle du cubisme cézannien et du primitivisme, après *L'Âge d'or* et *La Danse* (1906).

André Derain, *Baigneuses*, vers 1908
Huile sur toile, 38 x 46 cm
Donation Mathilde Amos, 1955

André Derain, *Nature morte à la table*, 1910
Huile sur toile, 92 x 71 cm
Legs Girardin, 1953

La *Tête de femme, la pêcheuse* (1909) de Braque où
s'affirme l'absence de hiérarchie entre fond et figure, témoigne
aussi de la phase cézannienne qualifiant la première période du
cubisme, phase sensible encore dans la rigueur géométrique de
la **Nature morte à la table** (1910) de Derain.

Rompant avec l'illusionnisme et avec la description
colorée, Braque et Picasso éliminent à partir de 1908 les détails
accidentels, brisent l'objet et le recomposent en volumes
simples, relèvent la ligne d'horizon et réduisent l'éclairage
à un clair-obscur idéal. Ils assurent en même temps la cohésion
de l'espace par l'établissement d'une grille où objets et figures
décomposés se rencontrent, en superposant ou juxtaposant
les différents angles de vue. De ce jeu monochrome – dans
les gris et bruns – et austère sur l'objet désagrégé naît une
nouvelle lumière.

Pablo Picasso, *Le Pigeon aux petits pois*, 1911
Huile sur toile, 64 x 53 cm
Legs Girardin, 1953

Dans ***Le Pigeon aux petits pois*** (1911) de Pablo
Picasso (1881-1973), on peut encore identifier quelques
éléments – petits pois, pigeon et flamme d'une bougie au
centre, verre à droite – métaphores de la réalité et jalons
plastiques de sa décomposition par la peinture. Ces évocations
d'objets et l'introduction de lettres ne dissipent pas la difficulté
de lecture de l'ensemble. L'indépendance des plans par rapport
aux volumes dont ils sont issus, la confusion entre les lignes
définissant les formes et celles limitant les plans, la couleur
appliquée par petites touches brouillant la composition, sont
autant de caractéristiques qui rattachent cette œuvre à ce que
l'on a appelé le « cubisme analytique ».

À partir de 1913, probablement conscients de ces difficultés de lecture, Picasso, Braque, puis Gris, substituent la synthèse de l'image à son analyse. « Autrement dit, écrit D.-H. Kahnweiler, au lieu d'imiter même partiellement les formes, au lieu de donner plusieurs aspects du même objet, on inventait une seule forme qui synthétisait, si l'on peut dire, l'objet en question, un signe qui signifiait l'objet au lieu de l'imiter » (*Entretiens avec Crémieux*, Gallimard, 1961). Dans les œuvres de ce cubisme dit « synthétique », le tableau s'organise en une unité conceptuelle avec les signes essentiels et les fragments de la réalité : sable, journaux, papiers peints, faux bois. Ces fragments sont l'occasion de réintroduire la couleur et de varier les textures.

Utilisant la typographie simplifiée du *Journal*, Pablo Picasso introduit un élément artisanal dans **Le Vieux Marc** (ca. 1914), laissant apparent le tracé-repérage des lettres, avant leur remplissage partiel par la couleur. Si l'exécution s'accommode des éléments représentés (pain, jambon, bouteille), elle contraste volontairement avec l'extrême subtilité du rendu d'autres objets. La nappe, par exemple, présente une déclinaison très travaillée de blancs, parfois mêlés à du sable ; ses verticales tirées au cordeau, ses retombées de tissu dignes d'une nature morte classique, la présence de violacés, de rouges éteints, de bleus et de jaunes, opposent continûment l'ébauche (moulure de la table peinte se poursuivant en simple tracé) au fini et à la préciosité.

Le Livre (1913) de Juan Gris (1887-1927) procède de la réutilisation, par collage, d'une feuille imprimée du *Bourreau du Roi*. Celle-ci est découpée et réinsérée dans une composition scandée par des bandes parallèles rigoureuses de bleus et de gris, à travers lesquelles le livre, vu sous différents angles, se recompose. Cette « lecture » de Gris s'accompagne de deux verres, attributs communs aux collages de cette période.

Pablo Picasso, *Le Vieux Marc*, ca. 1914
Huile sur toile cirée, 38,5 x 55,5 cm
Legs Girardin, 1953

Juan Gris, *Le Livre*, 1913
Huile et papier collé sur toile, 41 x 34 cm
Donation Henry-Thomas, 1976

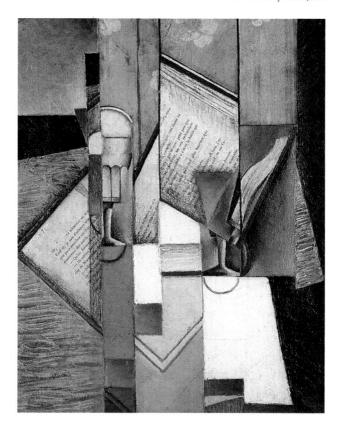

Georges Braque, *Nature morte à la pipe*, 1914
Huile sur toile, 38 x 46 cm
Legs Girardin, 1953

Le collage est une des inventions plastiques du cubisme, faite en 1912 par Braque qui utilise alors pour la première fois un papier manufacturé.

Dans **Nature morte à la pipe** (1914), Georges Braque (1882-1963) emploie un certain nombre de nouveaux procédés propres au cubisme synthétique : l'usage du sable y est mêlé à la déclinaison d'éléments en trompe-l'œil (moulures, faux papiers, bois veiné...) et à la pratique d'une touche pointilliste, autant d'éléments qui accentuent le caractère décoratif de l'œuvre.

Henri Laurens, *Danseuse espagnole*, 1915
Bois peint, 34 x 14 x 11,5 cm
Donation Emanuele Sarmiento, 1936

Comme Picasso et Braque, le sculpteur Henri Laurens (1885-1954) multiplie les angles de vision, mettant en œuvre dans l'espace la recomposition de l'objet. Il introduit dans sa sculpture ***Danseuse espagnole*** (1915), faite d'un assemblage de pièces en bois, le mouvement, la discontinuité des plans et la polychromie. Pour traduire la sensation de la danse, d'une part, il joue des angles, des arêtes aiguës, des parties plus rondes, d'autre part, il trace, à même le bois, des festons blancs simulant la dentelle et les volants de la robe soulevés par le mouvement du corps. L'ensemble pivote autour d'un axe diagonal définissant un volume cylindrique. La dynamique permet au spectateur de ressentir avec acuité la précarité du réel.

Le cubisme fut révélé au grand public non par ses
fondateurs, Picasso, Braque, mais par d'autres peintres qu'ils
avaient pour la plupart largement influencés. En effet Picasso et
Braque ne participaient pas aux Salons. Ainsi, c'est au Salon des
indépendants de 1911, dans la salle 41 qui rassemblait les
œuvres de Jean Metzinger, Albert Gleizes, Henri Le Fauconnier,
Fernand Léger et Robert Delaunay, que le cubisme trouva une
première reconnaissance. Apollinaire écrit à propos de ce Salon :
« Metzinger est ici le seul adepte du cubisme proprement dit et
nous prouve (…) que cette discipline n'est pas incompatible
avec la réalité » (*Chroniques d'art, 1902-1918*, Gallimard,
1960).

En 1912, Gleizes et Metzinger publient *Du cubisme*,
premier opuscule théorique consacré au mouvement auquel ils
confèrent « un certain coefficient de réalisme » car précisent-ils,
« on ne hausse pas d'emblée un art jusqu'à l'effusion pure »
(*Du cubisme*, Éditions Figuière, 1912, p. 17). La même année, la
galerie La Boétie expose la Section d'Or dont les membres
revendiquent la « Divine Proportion » et l'héritage de Léonard
de Vinci. La Section d'Or regroupe notamment les artistes qui se
réunissent depuis 1911 dans l'atelier des Duchamp à Puteaux,
autour de Jacques Villon : Duchamp, Duchamp-Villon, Gleizes,
Metzinger, Delaunay, La Fresnaye, Kupka et Apollinaire.

Aux constructions statiques de Braque et de Picasso, ces
artistes substituent la simultanéité (« […] le fait de se mouvoir
autour d'un objet pour en saisir plusieurs apparences
successives qui, fondues en une seule image, le reconstituent
dans la durée […] », *Du cubisme, op. cit.*, p. 36), le mouvement
et la couleur, affirmant le credo « éclairer, c'est révéler ; colorer
c'est spécifier le mode de révélation » (*ibid.*, p. 26). Ils ouvrent
ainsi la voie d'un cubisme pacifié, parfois lyrique et idéalisé, mais
toujours humanisé : ils prennent en compte l'anecdote du
quotidien et de la vie moderne. Les formes se combinent en

volumes simples, au chromatisme réduit, aux accords minéraux, sensibles dans **Les Baigneuses** (1912) de Gleizes, le *Paysage aux arbres* (1910), la *Nature morte aux trois anses* (1912) de La Fresnaye.

Deux des œuvres exemplaires de ce cubisme, acquises en 1937, figurent dans les collections du musée.

Albert Gleizes, *Les Baigneuses*, 1912
Huile sur toile, 105 x 171 cm
Legs Girardin, 1953

L'Oiseau bleu (1913) de Jean Metzinger (1883-1957) est décrit par Guillaume Apollinaire comme «l'œuvre la plus importante qu'ait encore peinte cet artiste discuté. Il est difficile d'exprimer en quelques lignes et sans méditation préalable toute l'invention, toute la féerie de cette œuvre bien peinte. On ne peut plus dire maintenant que le cubisme c'est de la peinture triste : peinture de gala plutôt, noblesse, mesure et audace » («Montjoie!, 18 mars 1913», *Chroniques d'art*, Gallimard, 1960).

Trois femmes nues, aux poses alanguies, laissent aller leur rêverie. Ce qui relève du décor, réel ou onirique (la ville, Paris et le dôme du Sacré-Cœur, un bateau sur l'océan, une plage) est traité d'une manière réaliste alors que dans le traitement des figures apparaît la leçon du cubisme. La composition rythmée par des faisceaux de lignes ascendantes s'organise autour de la figure centrale de la femme embrassant l'oiseau bleu. Ce dernier provient peut-être du célèbre conte de Maeterlink (1908), *L'Oiseau bleu* : l'oiseau bleu y est porteur du bonheur, dont la quête donne le pouvoir d'abolir le temps, de ressusciter les disparus, et d'entrouvrir le paradis. Dans ce conte, parfois, au matin, les visions nocturnes prennent corps pour perturber la réalité.

Jean Metzinger, *L'Oiseau bleu*, 1913
Huile sur toile, 230 x 196 cm
Achat, 1937

André Lhote, *Escale*, 1913
Huile sur toile, 210 x 185 cm
Achat, 1937

Avec **Escale** (1913), André Lhote (1885-1962) compose une vision plus prosaïque de la femme, réinterprétant lui aussi de façon tempérée le vocabulaire cubiste. Dans le décor d'un avant-port d'où les « filles » guettent les marins débarquant pour escale, l'artiste installe au premier plan un couple de danseurs enlacés. Le mouvement de la danse trouve un écho dans celui de la « fille » du second plan, puis au fond dans la suggestion des activités d'un grand port : ici, la ville et le monde contemporains sont synonymes de dynamisme, de plaisirs, mais aussi d'enfermement. Si les corps des femmes sont moulés dans des robes satinées affichant leur sensualité, le pli amer de la bouche de la femme en robe rose et l'indifférence des regards traduisent la solitude des personnages. Dans cette parodie teintée de sous-entendus et de gaieté factice, une pseudo-lumière méditerranéenne durcit les visages.

Amédée Ozenfant, *Grande Nature morte*, 1926
Huile sur toile, 330 x 300 cm
Don de l'artiste, 1963

En réaction au cubisme, le purisme est conçu – par le manifeste *Après le cubisme*, 1918, et développé dans la revue *L'Esprit nouveau*, 1920-1925 – par Ozenfant et Jeanneret (*alias* Le Corbusier). La **Grande Nature morte** (1926) d'Amédée Ozenfant (1886-1966) présente certaines des caractéristiques d'un mouvement qui trouvera cependant ses meilleures applications en architecture. La nature morte, regroupant des objets ordinaires dans une composition géométrisée, peinte dans une gamme sobre, est le thème le plus fréquent. Le statisme presque minéral de l'œuvre est l'aboutissement d'une démarche austère : trouver dans l'art des « invariants », équivalents des lois qui régissent les sciences, et leur donner une forme la plus standardisée possible. « On peut créer le tableau comme une machine. Le tableau est un dispositif à émouvoir » (*Après le cubisme*, Éditions des Commentaires, 1918).

J. M.

FERNAND LÉGER (1881-1955)

Après une brève formation à l'École des arts décoratifs, Fernand Léger, qui se tourne vers la peinture, reçoit au Salon d'automne de 1904 le choc de Cézanne : « Cézanne m'a appris l'amour des formes et des volumes, et il m'a fait me concentrer sur le dessin. » Il se rallie au cubisme sans renoncer à la couleur et réalise en 1913 la série des *Contrastes de formes*, élaborant ainsi les principes de son esthétique : « J'oppose des courbes à des droites, des surfaces plates à des formes modelées, des tons locaux purs à des gris nuancés » de manière à obtenir une intensité plastique maximale.

Mobilisé en 1914, il part pour trois ans au front et interrompt son travail. La guerre constitue une expérience plastique déterminante : « Je fus ébloui par une culasse de 75 ouverte en plein soleil (...). Elle m'en a plus appris pour mon évolution plastique que tous les musées du monde. Revenu de la guerre, j'ai continué à utiliser ce que j'avais senti au front. » La découverte de ce monde des « machines implacables et belles » inaugure sa « période mécanique », dont **Les Disques** (1918) est un des tableaux clés. Ces disques sont avant tout signes, signaux, symboles. On peut y voir aussi bien la roue, l'engrenage, le signal ferroviaire ou routier, que le mécanisme d'une bielle : sur une grille faite d'horizontales et de verticales, les couleurs syncopées des disques et les diagonales qui les relient évoquent le mouvement. La couleur violente et contrastée, que l'artiste emprunte aux panneaux publicitaires et aux affiches de la rue, est un autre exemple de sa fascination pour la vie moderne.

La figure humaine réapparaît après la guerre (*L'Homme à la pipe*, 1920), « non comme une valeur sentimentale, précise l'artiste, mais uniquement comme une valeur plastique, en la soumettant à l'ordre géométrique qui régit les machines et l'environnement urbain ».

Fernand Léger, *Les Disques*, 1918
Huile sur toile, 240 x 180 cm
Achat, 1937

Fernand Léger, *Nature morte au chandelier*, 1922
Huile sur toile, 116 x 80 cm
Achat, 1938

Le sujet de la **Nature morte au chandelier** (1922)
annonce l'intérêt renouvelé de Fernand Léger pour l'objet au
cours des années vingt ; c'est aussi l'un des thèmes privilégiés du
purisme, dont les théories énoncées par Jeanneret et Ozenfant à
partir de 1918 retiennent l'attention de Léger. Les à-plats
géométriques et orthogonaux du fond évoquent son intérêt
pour les recherches du groupe hollandais De Stijl, avec lequel
l'artiste entre en relation dès 1919.

S. K.

ROBERT DELAUNAY (1885-1941)

Le musée possède un ensemble représentatif de l'œuvre de ce peintre.

Au début de sa carrière, Delaunay expérimente la plupart des mouvements de la peinture moderne. Ainsi, de 1904 à 1906, il connaît une période impressionniste, synthétiste, divisionniste (*Paysage aux vaches*,1906) – il lit attentivement les théoriciens de la couleur, notamment Michel Eugène Chevreul – puis fait un bref passage par le fauvisme.

Après avoir vu la rétrospective Cézanne de 1907, il se tourne vers le cubisme qu'il pratique d'une manière non orthodoxe, baptisée « Orphisme » par Apollinaire. Dans sa période dite « destructive », il retient du cubisme la brisure de la ligne et le déplacement des points de vue, mais étudie avant tout la dislocation de la forme dans la lumière (séries des *Villes*, des *Saint-Séverin*, des *Tour Eiffel*). Les recherches menées durant ces années trouvent leur synthèse dans *La Ville de Paris* (1910-1912), toile monumentale où sont associées aux thèmes de la période « destructive » (la ville et la tour Eiffel) une citation du Douanier Rousseau (la Seine et le bateau à quai de son autoportrait *Moi-même*) et la représentation de trois figures inspirées d'une peinture pompéienne.

En 1912, pendant sa période « constructive », Delaunay met en application ses théories sur la couleur et la lumière. Dans la série des *Fenêtres* se manifeste une tendance abstraite bien qu'y subsistent quelques fragments de réalité. Son éloignement du réel se poursuit avec *Les Formes circulaires* – disques, soleils, lunes – qui lui permettent d'étudier la loi des contrastes simultanés décrite par Chevreul. « À ce moment, vers 1912-13, j'eus l'idée d'une peinture qui ne tiendrait techniquement que de la couleur, des contrastes de couleur, mais se développant dans le temps et se percevant simultanément, d'un seul coup (...). Je jouais avec les couleurs comme on pourrait s'exprimer en musique par la fugue des phrases colorées, fuguées. » (Robert Delaunay, *Cahiers*, c. 1939-1940.)

L'Équipe de Cardiff (1912-1913) marque un retour à la figuration. Construit à la manière d'un collage cubiste, ce tableau présente plusieurs éléments juxtaposés : des joueurs de rugby d'après une photographie parue dans la presse, la grande roue, la tour Eiffel, un aéroplane, des affiches publicitaires (« Astra », marque d'une société de construction aéronautique), les noms des capitales artistiques de l'époque : « Paris, New York, B[erlin] », éléments qui ont tous en commun, par leur caractère dynamique, aérien et « simultané », d'être un hommage à la modernité.

Pour mettre en œuvre cette thématique neuve, également prônée par l'avant-garde littéraire (Apollinaire, Cendrars), Delaunay élabore un nouveau langage plastique utilisant « la couleur en tant que moyen de construction dans la lumière (contrastes simultanés) ». Formes et couleurs se répondent : le joueur central et la tour Eiffel, les triangles répétés (joueur, tour, nuages, la lettre A), la roue qui distribue et rythme la partie supérieure du tableau en agissant comme un véritable cercle chromatique, l'affiche jaune enfin, qui contraste avec les bleus, les verts, les orangés et provoque simultanément toutes les couleurs du spectre solaire.

Apollinaire commenta ce tableau au Salon des indépendants de 1913 : « La toile la plus moderne du Salon. Rien de successif dans cette peinture où ne vibre plus seulement le contraste des complémentaires découvert par Seurat, mais où chaque ton appelle et laisse s'illuminer toutes les autres couleurs du prisme. C'est la simultanéité. » (*Montjoie* !, 18 mars 1913.)

Robert Delaunay, *L'Équipe de Cardiff*, 1912-1913
Huile sur toile, 326 x 208 cm
Achat, 1937

L'aquarelle de la donation Henry-Thomas, appartenant à la série **Hommage à Blériot** de 1913-1914, combine sujet moderne et orphisme. L'avion de Blériot comme la tour Eiffel et le biplan Voisin, empruntés à *L'Équipe de Cardiff,* se mêlent aux cercles colorés des hélices en rotation et des cocardes. Grâce à ces formes circulaires, la relation de l'événement – la traversée de la Manche – s'efface au profit de la description du « mouvement de la lumière » (Sonia Delaunay).

Robert Delaunay, *Hommage à Blériot*, 1913-1914
Aquarelle sur papier marouflé, 78 x 67 cm
Donation Henry-Thomas, 1976

La *Femme nue lisant* et la **Symphonie colorée** ou *Nature morte portugaise* (1915-1917) ont été peintes en Espagne et au Portugal pendant la guerre, au contact de la lumière et de couleurs violemment contrastées. Delaunay y associe encore éléments réels et formes circulaires – fruits, plantes, chapeau et motifs décoratifs.

En 1926, Delaunay reprend le thème de la tour Eiffel comme fond dans des portraits ou comme sujet autonome. Ainsi dans la *Tour Eiffel* (1926) de la donation Henry-Thomas, le monument est représenté vu d'avion, dans une perspective plongeante, et à l'aide d'un traitement synthétique des formes et des couleurs.

D. G.

Robert Delaunay, *Symphonie colorée (Nature morte portugaise)*, 1915-1917
Huile sur toile, 144 x 204 cm
Legs Girardin, 1953

DADA ET LE SURRÉALISME

DADA

Le dadaïsme et le surréalisme sont peu présents dans les collections. Cependant le musée s'est enrichi récemment de deux œuvres de Kurt Schwitters et d'un fonds Victor Brauner qui s'ajoutent aux œuvres singulières de Jean Crotti.

Dada – ou le dadaïsme – apparaît à Zurich (avec l'Allemand Hugo Ball, le Suisse Richard Hülsenbeck, les Roumains Tristan Tzara et Marcel Janco, l'Alsacien Hans Arp) où il reçoit en 1916 son nom dans un climat hostile à la guerre, tandis qu'à New York se développe en même temps un autre épicentre (autour de Marcel Duchamp et Francis Picabia arrivés en 1915). Dada se manifeste ensuite après la guerre à Berlin (Richard Hülsenbeck, Johannes Baader, George Grosz, Raoul Hausmann, John Heartfield et Hannah Höch), Cologne (Max Ernst, Johannes Baargeld, Hans Arp), Hanovre (Kurt Schwitters), Paris (Tristan Tzara, André Breton, Philippe Soupault et Louis Aragon).

Dada se dit « négateur, éphémère, illogique, sans objet ». Il se caractérise par un esprit de révolte permanent, contre toutes les formes traditionnelles de l'art et de la pensée qu'il investit également (morale, politique, littérature, arts plastiques). Dans le domaine des arts plastiques, sont remis en cause et renouvelés les techniques (collage, photomontage), les matériaux (utilisation de matériaux de rebuts), la composition (intervention du hasard).

Miroir-collage (vers 1920-1922) est un collage abstrait « Merzbilder », nom donné à partir de 1919 par Kurt Schwitters (1887-1948) à ses collages et à toute sa production, littéraire (poèmes phonétiques) ou picturale. *Miroir-collage* doit son encadrement à Tristan Tzara à qui il a appartenu, avant d'être donné par sa famille au musée (don de Marie-Thérèse et Christophe Tzara en 1988). Il est constitué de matériaux de rebut : carton, bouton, bois, métal, liège, céramique brisée, le tout solidifié par du plâtre dans le cadre étroit d'un miroir. Ce miroir-collage pourrait être un cadeau destiné à son amie, l'artiste allemande Hannah Höch.

Kurt Schwitters, *Miroir-collage*, vers 1920-1922
Huile, plâtre et collage d'objets divers sur miroir, 28,5 x 11 cm
Don de M. et Mme Christophe Tzara, 1988

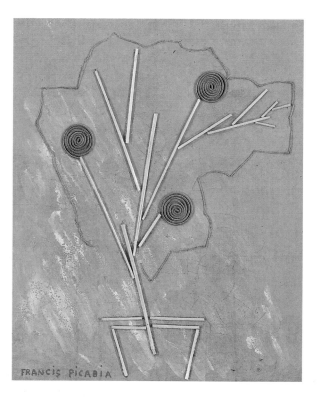

Francis Picabia, *Vase de fleurs*, vers 1924-1926
Collage, huile, fil de fer, brins de paille et ficelle sur toile, 61 x 50 cm
Donation Henry-Thomas, 1976

Vase de fleurs (vers 1924-1926) de Francis Picabia (1879-1953) est réalisé au moment où l'artiste se rapproche des positions surréalistes pour une série de peintures-collages de techniques très diverses. L'esprit dada reste encore présent dans la désinvolture et la poésie de cette œuvre, parodie d'un sujet conventionnel et de sa fonction décorative. C'est une certaine pratique de la peinture qui est finalement remise en cause ici, grâce à l'humour qui préside au choix des matériaux (de récupération ou de bricolage) et de la couleur appliquée uniformément, rose bonbon, peinture de bâtiment de la marque « Ripolin ».

SURRÉALISME

Le manifeste du surréalisme, publié en 1924, en précise les objectifs : « Automatisme psychique pur par lequel on se propose d'exprimer mentalement soit verbalement soit par écrit, soit de toute autre manière, le fonctionnement réel de la pensée. Dictée de la pensée en l'absence de tout contrôle exercé par la raison, en dehors de toute préoccupation esthétique ou morale. » Les réalisations plastiques du surréalisme sont très diverses, allant de l'écriture automatique et de l'utilisation du hasard (Max Ernst ou André Masson) à l'onirisme pictural des peintres illusionnistes, « ces calqueurs de rêves » que sont Dali ou Magritte, mais dont l'origine revient à Giorgio De Chirico (1888-1978).

Ce dernier eut une influence considérable sur les peintres surréalistes, sans jamais avoir appartenu à leur mouvement. En effet, la mise sur le même plan, dans ses œuvres des années dix, d'objets totalement étrangers les uns aux autres mais minutieusement décrits, apparaît comme une application de la phrase de Lautréamont « beau comme la rencontre fortuite d'un parapluie et d'une machine à coudre sur une table de dissection ». **Mélancolie hermétique** (1919) est un des derniers tableaux de la période qu'Apollinaire qualifie de « métaphysique », inaugurée par une révélation, piazza San Croce en 1910 : « Alors, j'eus l'*étrange* sentiment de regarder les choses pour la première fois et la composition du tableau se *révéla* à l'œil de mon esprit. Cependant, le moment est pour moi une *énigme*, en ce sens qu'il est *inexplicable*. J'aime aussi appeler *énigme* l'œuvre qui en dérive. » Sont fréquentes à cette période la présence d'une statue antique (ici un buste d'Hermès, souvenir d'une vision au musée d'Olympie), et la composition énigmatique faite d'une juxtaposition d'objets insolites, disproportionnés, vus dans une perspective accentuée.

Giorgio De Chirico, *Mélancolie hermétique*, 1919
Huile sur toile, 62 x 49,5 cm
Donation Mathilde Amos, 1955

André Masson, *Nu dans un intérieur*, 1924
Huile sur toile, 60 x 73 cm
Don de la Société des Amis du musée d'Art moderne de la Ville de Paris, 1985

Dès la fondation du surréalisme, André Masson (1896-1987) s'en révèle un membre actif, notamment à travers ses tentatives d'appliquer l'automatisme au domaine pictural. D'un fond tramé hérité du cubisme (enchevêtrements de plinthes, escaliers, boiseries), surgit comme un mirage le **Nu dans un intérieur** (1924) composé d'arabesques. Le graphisme « biomorphique » contrarie le carcan cubiste par son élan vital.

Max Ernst, *Fleurs*, vers 1928-1929
Huile sur toile, 65 x 81 cm
Legs Robert Azaria, 1949

En 1920, Max Ernst (1891-1976) quitte Cologne où il a participé au mouvement dada, et se rend à Paris sur l'invitation de Breton. Une de ses participations essentielles au surréalisme est l'invention de la technique du frottage, mise au point en 1925, grâce à laquelle a été réalisé le tableau ***Fleurs*** (vers 1928-1929). Cette technique consiste à poser une feuille de papier sur une matrice en relief – planche, ficelle, pièce de monnaie – et à crayonner la surface ou l'enduire de peinture pour faire apparaître le relief de cette matrice. Ainsi le sujet du tableau résulte-t-il du hasard d'un geste et d'une matière.

S. K.

JEAN CROTTI (1878-1958)

Le fonds Crotti du musée d'Art moderne, composé de dix-sept peintures, trois gouaches et un collage, est constitué pour l'essentiel du legs de Suzanne Duchamp-Crotti (1965), d'après une sélection réalisée par Marcel Duchamp.

Né près de Fribourg, installé à Paris depuis 1901, Jean Crotti intègre d'abord diverses influences – fauvisme et cubisme – vers 1911-1912, qu'il façonne en 1913 en un nouveau style orphique (*La Partie de thé*, 1914).

En raison de la guerre, il se rend à New York de 1915 à 1921. Il y développe une étroite amitié avec Marcel Duchamp (dont il épousera la sœur, également peintre, en 1919) et Francis Picabia. Par la suite, Crotti désignera cette année 1915-1916 comme ayant été celle de sa « seconde naissance par autoprocréation et selfaccouchement et sans cordon ombilical ». Il développera alors son propre style mécanomorphe (*Virginité en déplacement*, 1916 ; *La Mariée dévissée*, 1921). « Lorsqu'il l'aborde, il a cessé de croire au salut par la forme. La machine représente à ses yeux (...) une pure métaphore. Le peintre procède par voie d'analogies, d'associations d'idées » (*in* Waldemar-George, *Jean Crotti*, 1930).

Toute l'originalité de sa contribution à l'esprit dadaïste se manifeste dans ses constructions. **Le Clown** (1916), collage sur verre, allie la couleur et la lumière en une translucidité évoquant l'art du vitrail. Le mystère de cette œuvre annonce le mysticisme qui s'affirmera dans ses abstractions cosmiques ultérieures. Jean Crotti signe là son œuvre à la fois la plus personnelle, énigmatique (religiosité « décalée », où l'œil de verre qui deviendra son emblème peut également être lu comme l'œil divin), et la plus proche de la grande œuvre de Marcel Duchamp, *La Mariée mise à nu par ses célibataires, mêmes* (1915-1923).

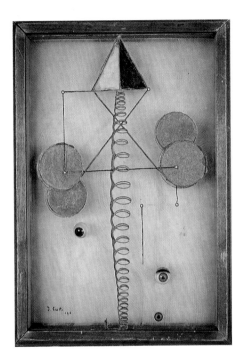

Jean Crotti, *Le Clown*, 1916
Collage sur verre, 37 x 25 cm
Legs Suzanne Duchamp-Crotti, 1965

Sa position particulière vis-à-vis du dadaïsme apparaît également à travers la révélation Tabu : « Tabu je suis sûrement à présent 22 heures 12 février 1921 Vienne Autriche dans trou de rue noir. Apparition lumineuse éclair », et ses conséquences formelles. L'emploi de la technique publicitaire tapageuse du tract souvent utilisée par Dada (que l'on voit au bas d'*Explicatif Manifeste Tabu*, 1921), et le contenu religieux insaisissable, donc tabou, sont à l'image de l'ambivalence fondamentale de l'ensemble de l'œuvre de Jean Crotti.

M. S.

VICTOR BRAUNER (1903-1966)

Le musée possède, à côté de la série du *Conglomeros* (peinture, sculpture et un cahier de cinquante-et-un dessins), vingt-neuf autres toiles de l'artiste grâce au legs de madame Victor Brauner en 1988.

Victor Brauner arrive de Roumanie à Paris en 1930, et adhère au surréalisme en 1932 grâce à Yves Tanguy qui le présente à André Breton. *Le **Conglomeros*** (1944) – être hybride, une tête mais trois corps dont deux masculins – est une œuvre caractéristique de son univers imaginaire, obsessionnel et primitif, rempli d'étranges personnages. Selon Brauner, le Conglomeros est « né le 23 juillet 1941 à minuit à Saint-Féliu-d'Armont, Pyrénées orientales, France ». « Conglomeros, anonyme du pluriel, ta solitude est plus grande, corps image du multiple », précise l'artiste.

La Rencontre du 2 bis rue Perrel (1946) est une image surréaliste par excellence, hasard objectif ou rencontre insolite, telle qu'André Breton la prône dans le *Manifeste du surréalisme*. Ainsi, dans ce tableau, deux réalités picturales cohabitent : *La Charmeuse de serpent* (1907) peinte par le Douanier Rousseau et la sculpture du *Conglomeros*.

Cette rencontre s'explique en partie par le fait que Victor Brauner s'installe en 1945 au 2 bis, rue Perrel, dans l'atelier du Douanier Rousseau. La coïncidence ne pouvait échapper à André Breton qui invita alors Victor Brauner à exploiter ce hasard : « Il me semble toujours que tu devrais peindre une grande toile "histoire de mon atelier" où se coudoieraient les créatures de Rousseau et les tiennes dans des attitudes hautement imprévisibles. (...) Ce serait du moins un si beau problème à résoudre et tu es l'homme de ces rencontres par excellence » (Lettre d'André Breton à Victor Brauner, New York, 1945). L'exploitation de cette « rencontre » entre Victor Brauner et le Douanier Rousseau se poursuit : en bas à droite, en lettres rouges sont inscrits les noms des deux artistes. Les chiffres sous ces noms rappellent l'intérêt de Victor Brauner pour la Kabbale, doctrine selon laquelle l'univers est né des lettres de l'alphabet, à chaque lettre correspondant un chiffre. Enfin le désir du Conglomeros d'embrasser la charmeuse de serpent marque la sympathie que les surréalistes ont à l'égard du Douanier Rousseau, « surréaliste » avant la lettre.

S. K.

Victor Brauner, *Conglomeros*, 1944
Plâtre, 150 x 120 cm
Achat, 1982

L'ABSTRACTION ENTRE LES DEUX GUERRES

Paris, durant les années trente, avec la mise en place du régime nazi en Allemagne qui contraint à l'exil de très nombreux artistes, devient le centre de l'art d'avant-garde et en particulier du renouvellement de l'abstraction. Michel Seuphor y lance en 1930 le groupe Cercle et Carré auquel répond Van Doesburg par Art concret. De ces deux organisations naît, par volonté d'union, Abstraction-Création, le 15 février 1931, dans l'atelier de Van Doesburg avec Arp, Gleizes, Hélion, Herbin, Tutundjian, Valmier et Delaunay. Le groupe va rassembler, sous le credo de l'art non figuratif, une centaine d'artistes de toutes nationalités, organisant des expositions, éditant un album annuel et des monographies d'artistes.

Auguste Herbin, *Relief polychrome*, 1920
Assemblage de bois peint, 88,5 x 69 x 15 cm
Donation Henry-Thomas, 1976

Le **Relief polychrome** (1920) relève de la première phase abstraite d'Auguste Herbin (1882-1960), entre cubisme et période figurative (1922-1926). La stylisation des formes pourrait résulter d'un regard porté sur l'art africain, quand l'aspect décoratif des couleurs évoque l'art populaire. Le bois privilégie des découpes géométriques simples et l'usage de la couleur : le futuriste Depero l'utilise ainsi à la même époque pour ses personnages polychromes. Mais Herbin diffère ici de ce jeu plein d'humour, par la rigueur constructive et frontale annonçant l'alphabet plastique qu'il élabore en 1943.

Frantisek Kupka (1881-1957), né en Bohême, installé à Paris dès 1896, fut l'un des créateurs de l'abstraction. Partant de recherches sur la décomposition du mouvement et de la lumière par la couleur, il franchit le pas d'une peinture non figurative dans les années 1908-1912. C'est ainsi qu'à la suite du paysage *Les Touches de piano* (1909) et du portrait de *Madame Kupka parmi les verticales* (1910) se développe une série d'œuvres ordonnant les plans verticaux et leurs rapports compliqués de diagonales. S'y rattache l'œuvre **Plans diagonaux** (1925) où, jouant à la fois d'une harmonie chromatique tempérée et du rythme, au-delà de la métaphore musicale (cette toile est aussi appelée *Orgue sur fond vert*), comme des différences de touches et de matières, Kupka utilise toutes les ressources picturales structurant ainsi l'espace. Cette œuvre, antérieure à sa période strictement constructive d'Abstraction-Création, témoigne d'une abstraction imprégnée de spiritualisme, privilégiant souvent une vision cosmique.

Frantisek Kupka, *Plans diagonaux (Orgue sur fond vert)*, 1925
Huile sur toile, 116,5 x 81 cm
Donation Henry-Thomas, 1976

Jean Arp, *Constellation aux cinq formes blanches et aux deux formes noires*, 1932
Bois peint, 70 x 85 x 3,5 cm
Achat, 1987

Jean Arp (1887-1966) occupe dans l'art abstrait dont il est un des pionniers, une position particulière et influente, à la croisée des chemins. Issu de Dada, il préfigure autant le surréalisme d'un Miró par les formes biomorphiques de son vocabulaire, que l'abstraction constructive, par son économie des moyens, où il est proche d'un Calder. Une sculpture comme *Concrétion humaine* (1933), un relief comme **Constellation aux cinq formes blanches et aux deux formes noires** (1932) – réalisées respectivement en plâtre et en bois, matériaux qui permettent un mouvement aisé des courbes – montrent un esprit plus épris de poésie, d'humour, d'équilibre formel que d'un strict rigorisme théorique. Jean Arp démissionnera en 1934 d'Abstraction-Création.

Jean Hélion, *Figure bleue*, 1935-1936
Huile sur toile, 145 x 99 cm
Don Joseph Cantor Foundation, 1984

Jean Hélion (1904-1987) milite, au moment où il est membre d'Art concret, pour une abstraction rigoureuse puis est actif comme membre du bureau directeur d'Abstraction-Création jusqu'en 1934. Cet engagement accompagne son œuvre dont les *Compositions orthogonales* (1929-1932) le rapprochent du néo-plasticisme. Avec **Figure bleue** (1935-1936), Hélion prend un certain nombre de libertés avec les principes de l'abstraction géométrique : les lignes courbes d'abord, introduites dès 1932, les formes ombrées ensuite, dont le relief nie la surface plane, et surtout le titre provoquant de « figure » utilisée pour cette série d'œuvres dont la situation dans l'espace (« debout », « tombée ») renforce parfois la référence anthropomorphique. Il ne s'agit pas d'une abstraction issue de la figuration mais plutôt qui y reconduit. En 1939, Hélion retourne à la peinture figurative.

Joaquín Torrès-Garcia, *Bateau constructif rouge (Barco rojo constructivo)*, 1943
Huile sur isorel doublé de polystyrène expansé, 44 x 54 cm
Achat, 1988

Joaquín Torrès-Garcia (1874-1949) quitte jeune l'Uruguay et commence sa carrière à Barcelone. Après un séjour à New York puis en Italie, il s'installe à Paris de 1926 à 1932, où il rencontre Hélion, Van Doesburg, Mondrian et Seuphor avec lequel il fonde Cercle et Carré dont il administre la revue. C'est pendant ce séjour qu'il met en place son vocabulaire constructif. Depuis 1917 (dans la mouvance du « vibrationnisme », dérivé catalan du futurisme), Torrès-Garcia recourt au quadrillage pour restituer la frénésie urbaine. Il tente de maintenir la présence du concret dans l'abstraction et remplit le schéma constructif orthogonal de signes, pictogrammes, éléments symboliques, lettres et chiffres. En 1932 il retourne de manière définitive à Montevideo. **Barco rojo constructivo** (1943) réalise l'équilibre de son système de représentation : la forme du bateau délimite la grille, au sein de laquelle seules les couleurs primaires interviennent, dans un équilibre qui ne rompt pas la planéité de la surface.

Peinture n° 320 (1937) correspond au style de la maturité de Alberto Magnelli (1888-1971). L'abstraction géométrique qu'il pratique à partir de 1936 reste cependant nourrie des expériences antérieures : le lyrisme des formes en aplats de couleurs denses est issu des années où il côtoie le futurisme, la spatialité et l'apesanteur proviennent des périodes figuratives frôlant la « peinture métaphysique ».

Venu à l'abstraction en 1923, César Domela (1900-1992) entre l'année suivante dans le groupe De Stijl. Lorsqu'il se fixe à Paris en 1933, il s'éloigne du néo-plasticisme pour suivre la voie qui constitue son apport singulier à l'abstraction : des reliefs polychromes où les matériaux les plus divers inscrivent une sensibilité tactile dans le jeu visuel des formes souples (*Relief n° 14*, 1937).

G. A.

L'ÉCOLE DE PARIS

MOUVEMENTS •

L'École de Paris ne désigne pas un style particulier, mais un groupe d'artistes, en majorité d'origine étrangère, vivant à Paris, alors capitale des arts, dans les années 1910-1920. Deux quartiers de Paris les accueillent avec prédilection : Montmartre d'une part – en particulier le Bateau-Lavoir – où le Néerlandais Van Dongen s'installe en 1899, l'Italien Modigliani en 1906 ; Montparnasse d'autre part – notamment dans la cité d'artistes La Ruche – où s'établissent les Russes Zadkine en 1909, Chagall en 1910, Soutine et le Japonais Foujita en 1913.

La Femme à l'éventail (1919) est l'un des nombreux portraits qu'Amedeo Modigliani (1884-1920) fit de sa confidente et amie Lunia Czechowska. Le dessin simplifié, l'espace peu profond, la construction du volume en plans rigoureux marquent l'influence du cubisme, mais aussi celle de la sculpture qu'il pratique de 1911 à 1913. L'allongement des lignes du corps et l'absence de pupille des yeux du modèle sont des constantes de l'art de Modigliani. Peint juste avant la mort de l'artiste, ce portrait reflète sa dernière manière : la palette est claire et l'art de la stylisation porté à son extrême souligne le caractère éthéré et mélancolique du modèle.

Le bulgare Pascin (1885-1930) arrive à Paris en 1905, où il mène une vie dissolue jusqu'à son suicide en 1930. Comme la plupart de ses œuvres, *Temple of Beauty* (1925) est inspirée par les lieux qu'il présente : dans ce harem ou cette maison close, partagé entre la caricature et l'allégorie, l'érotisme triomphe. Autre artiste maudit de l'École de Paris, Utrillo (1883-1955) préfère le paysage urbain – en particulier son quartier d'origine, la butte Montmartre (*La Maison de Berlioz*, 1914) – qu'il décline jusqu'à sa mort avec un succès croissant. Sa mère Suzanne Valadon (1867-1938) privilégie la figure, traitée avec réalisme par un dessin appuyé (*Nu à la couverture rayée*, 1922).

Amedeo Modigliani, *La Femme à l'éventail (Lunia Czechowska)*, 1919
Huile sur toile, 100 x 65 cm
Legs Girardin, 1953

Léonard-Tsuguharu Foujita, *Nu* (*Nu couché à la toile de Jouy*), 1922
Encre, fusain et crayon sur toile, 130 x 195 cm
Don de l'artiste, 1961

Ancien élève des Beaux-Arts de Tokyo, Foujita (1886-1968) est d'abord influencé par l'œuvre du Douanier Rousseau avant d'atteindre, autour de 1919, la maîtrise de son style personnel, fait d'une alliance de traditions formelles orientales et occidentales. Le **Nu** ou *Nu couché à la toile de Jouy* (1922) fait partie de la série de nus féminins dont l'érotisme sophistiqué l'a rendu célèbre. Cette version japonisante de l'*Olympia* de Manet se différencie par son élégance, la virtuosité de ses contours et ses camaïeux de gris, de la volupté, du plaisir des matières et des dégradés de rouges qui caractérisent le chef-d'œuvre du XIXᵉ siècle. L'aspect porcelainé de la surface du tableau, typique du nouveau style de l'artiste, est réalisé avec une pâte fine appliquée au pinceau ou au tampon.

Chaïm Soutine, *La Femme en rouge*, 1922
Huile sur toile, 92 x 65 cm
Legs Girardin, 1953

Exécuté juste après les paysages de Céret (1920) qui marquèrent le début de la notoriété de Chaïm Soutine (1894-1943), ***La Femme en rouge*** (1922) précède les séries de « figures » réalisées entre 1923 et 1930, dont ce portrait possède déjà les caractéristiques. La technique d'abord, presque gestuelle, fait participer toute la surface du tableau à la description du modèle. La couleur du vêtement ensuite, un rouge sang que l'artiste affectionne (il domine dans les séries des *Chasseurs* et des *Bœufs écorchés*), exprime autant que les traits la psychologie du modèle. Le sujet enfin, où, par le détournement du portrait conventionnel, l'artiste saisit l'individuel dans ce qu'il a de plus insignifiant, chaotique, ou tragique. Ici, la frontalité et l'absence de profondeur projettent le personnage en avant ; le corps du modèle est désarticulé par une posture gauche ainsi que par la déformation de son visage, de sa coiffure et de ses mains.

Kees Van Dongen, *Le Sphinx* (*La Femme aux chrysanthèmes*), vers 1925
Huile sur toile, 146 x 113 cm
Don de l'artiste, 1927

Après avoir été proche des fauves, puis des expressionnistes allemands, le succès facile de Kees Van Dongen (1877-1968) comme portraitiste du Paris mondain d'après guerre a occulté trop souvent les qualités de sa peinture. Ainsi le tableau **Le Sphinx** ou *La Femme aux chrysanthèmes* (vers 1925) n'est-il pas seulement, comme le suggère le titre, une preuve parfaite de cette boutade de l'artiste : « J'aime ce qui brille, les pierres précieuses étincelantes, les étoffes brillantes, les belles femmes désirables, et la peinture me permet de jouir de tout cela. » Le titre énigmatique, le vase tenu dans le vide par une main mystérieuse, les couleurs inquiétantes et le regard glacé – par la peur ou la résignation ? – du modèle donnent à ce simple portrait la dimension d'une allégorie transposée dans un langage moderne : celle de la rencontre de la jeune fille et de la mort.

Marc Chagall, *Le Rêve*, 1927
Huile sur toile, 81 x 100 cm
Donation Emanuele Sarmiento, 1936

Le Rêve (1927) de Marc Chagall (1887-1985) est réalisé alors qu'il travaille à une série d'eaux-fortes commandée par le marchand Vollard, dont, en 1927, une suite sur le cirque qui ne sera jamais publiée. Dans le tableau se marient deux thèmes chers à l'artiste, celui du cirque – traité par l'image de l'écuyère – et celui du couple. Comme souvent chez Chagall les lectures possibles du tableau sont multiples : hébraïque (l'âne fait partie du bestiaire familier de Vitebsk, sa ville natale), symbolique (l'animal symbole de virilité, la lune de fécondité), ou littéraire (référence à *L'Âne d'or* d'Apulée, au *Songe d'une nuit d'été* de William Shakespeare, ou à *Alice au pays des merveilles* de Lewis Carroll). Cette diversité d'interprétation rend compte de la puissance onirique de cette œuvre. Le procédé du renversement, fréquent chez l'artiste, participe au déclenchement de ce qu'André Breton appellera une « explosion lyrique totale ».

Taillé dans un tronc d'orme lors d'un séjour à la campagne, l'**Orphée** (1928-1930) d'Ossip Zadkine (1890-1967) manifeste l'attachement du sculpteur au bois, souvenir de son enfance russe, et sa prédilection pour la taille directe, dont il fut avec Brancusi le promoteur du renouveau. La représentation de l'artiste est un des *leitmotive* de son œuvre, tandis que celle du musicien en particulier domine dans les années 1920-1930. C'est le moment où l'artiste adopte un néo-classicisme (lourds drapés, thèmes mythologiques) qui imprègne l'art européen entre les deux guerres. L'influence du cubisme est ici présente dans l'inversion presque systématique du concave et du convexe, la géométrisation du visage et la simplification de l'instrument. Cette œuvre marque surtout l'évolution de Zadkine vers un style assoupli, plus lyrique, où le mouvement, la courbe, et l'alternance du plein et du vide retrouvent tous leurs droits.

C. M.

Ossip Zadkine, *Orphée*, 1928-1930
Bois d'orme, 290 x 70 cm
Achat, 1936

MARCEL GROMAIRE (1892-1971)

Le musée d'Art moderne de la Ville de Paris possède un fonds essentiel d'œuvres de Marcel Gromaire avec cent seize œuvres dont soixante-dix-huit peintures, soit plus du dixième de la production de cet artiste. Ce fonds résulte du legs du docteur Girardin qui, en 1920, avait signé avec l'artiste un contrat, renouvelé jusqu'en 1932, assurant au collectionneur une exclusivité sur sa production.

Les tableaux du musée, appartenant aux années les plus significatives et productives, rendent compte des principales préoccupations de l'artiste. L'humanité entière, dépeinte dans son labeur et sa résignation, est l'un des fils conducteurs de son œuvre. Des compositions monumentales, aux masses sombres et sommairement définies, donnent aux individus la dimension de types : entre autres, *Le Faucheur flamand* (1924), emblématique du monde rural, ou *La Rue* (1923), *Les Buveurs de bière* (1924), images de la vie urbaine.

Le nu féminin (*Étude de nu au manteau*, 1929), dont Gromaire revendique la sensualité – « En art le nu n'est haïssable que lorsqu'il est dépourvu de sexualité et qu'il devient un simple exercice académique » (*Journal*, 1932) –, est un motif récurrent de sa peinture.

Remarqué dès son apparition au Salon des indépendants de 1925, **La Guerre** (1925) est resté depuis l'un des tableaux les plus commentés de l'artiste. Scène historique d'abord, il témoigne de l'engagement de l'artiste, blessé sur la Somme en 1916 et profondément marqué par la guerre : « Nous qui avons été décimés par le feu et qui avons souffert étrangement dans notre chair et notre cœur, nous avons eu en paiement de sentir à certaines heures la véritable présence de Dieu » (*Journal*, 1931). Le tableau est aussi une allégorie intemporelle, par la simplicité des masses poussée jusqu'au hiératisme, et la sobriété des coloris qui fondent en une même matière hommes, uniformes, terre et fer.

C. M.

Marcel Gromaire, *La Guerre*, 1925
Huile sur toile, 130 x 96,5 cm
Legs Girardin, 1953

• FONDS

Avec ses cent quatre numéros (soixante-et-une peintures, trente-six aquarelles et dessins, sept estampes), la collection du musée d'Art moderne de la Ville de Paris est l'une des grandes collections publiques d'œuvres de Raoul Dufy. Cet ensemble, constitué autour de *La Fée Électricité*, résulte de quelques achats et, pour l'essentiel, de dons et legs dont les principaux sont dus à la générosité du docteur Girardin (1953), de Mathilde Amos (1955) et de Berthe Reysz (1975).

Au cours d'une brève période fauve (1906-1908, cf. *supra*), Raoul Dufy fait un usage très personnel de la couleur pure, rythmée circulairement dans des harmonies subtiles et tendres. Puis, à la suite d'un voyage à l'Estaque en compagnie de Braque, il oriente sa peinture vers une construction compacte (*Paysage de Vence,* 1908). La palette, restreinte, demeure soutenue ; les couleurs juxtaposées en un réseau serré de longues touches s'inscrivent dans un dessin noir au graphisme aigu, reprenant les formes géométriques chères à Cézanne. *Le 14 juillet* (vers 1912), écho lointain des rues pavoisées de l'époque fauve et, au-delà, de Manet et de Monet, garde le souvenir de cette saturation de la toile, organisant la frise au rythme dynamique et heurté des danseurs, sous des hachures tricolores au fort impact visuel.

Pendant ces années d'avant guerre, le sens du contraste entre l'ombre et la lumière, celui de l'équilibre des masses, expérimentés dans des gravures sur bois illustrant le *Bestiaire* de Guillaume Apollinaire (édité en 1911 par Daniel-Henry Kahnweiler), sont mis à profit par Raoul Dufy dans ses recherches ornementales pour le couturier Paul Poiret et la maison lyonnaise de soieries Bianchini-Férier. Dufy considèrera toujours que son expérience de décorateur avait enrichi sa pratique de peintre.

Son style s'affirme après la guerre, à la suite notamment d'un séjour prolongé à Vence en 1919. Le graphisme s'assouplit,

Raoul Dufy, *Le 14 juillet*, vers 1912
Huile sur toile, 55 x 66 cm
Legs Girardin, 1953

Raoul Dufy, *Trente Ans ou la vie en rose*, 1931
Huile sur toile, 98 x 128 cm
Donation Mathilde Amos, 1955

aboutissant à l'invention d'un répertoire de signes formels, tandis que progressivement la couleur se libère du dessin. Avec **Trente Ans ou la vie en rose** (1931), le style décoratif de Dufy atteint sa plénitude : une écriture vive et abandonnée faite de courbes et contre-courbes, à la fantaisie baroque. Ce tableau représente un angle de la salle à manger de l'impasse de Guelma – où vit Dufy depuis 1911 –, tapissée de tissus dessinés par lui et édités par Bianchini-Férier. Le motif et la couleur unique investissent intégralement le champ pictural, redoublés par un titre associant le plaisir de peindre au plaisir de vivre. La virtuosité de ce jeu quasi monochrome transparaît également dans la manière d'appliquer la couleur qui rappelle la technique de l'aquarelle par la fluidité de la matière, la transparence et la luminosité de la palette sur une préparation blanche réfléchissante.

Cette œuvre annonce les « peintures tonales » des années quarante, de même que les multiples variations autour de quelques séries thématiques à tendance hédoniste (régates, champs de courses, orchestres), prétextes à l'épanouissement de la tentation monochrome où la couleur acquiert des potentialités spatiales et lumineuses infinies. « Dites-vous bien que dans ma peinture, il n'y a ni sol, ni lointain, ni ciel : il y a des couleurs dont les rapports entre elles créent l'espace et c'est tout. »

M. S.

PIERRE BONNARD (1867-1947)

Pierre Bonnard, tout en ayant été en relation avec les mouvements d'avant-garde des années 1890-1910 – il a notamment appartenu au groupe des Nabis – a développé une œuvre solitaire et inclassable. En 1925 il s'installe dans le Midi, au Cannet, organisant désormais son œuvre autour de quelques thèmes : natures mortes, nus et paysages. Les collections du musée présentent l'essentiel de cette thématique que Bonnard a puisée dans son univers familier, lieu d'inspiration et objet de métamorphoses. Toutes les toiles témoignent d'un attachement au réel et à sa recomposition que le travail raisonné de la couleur restitue aux frontières du visible : transposition picturale et lyrique d'une expérience filtrée par le souvenir.

Le Déjeuner (vers 1932) présente un dispositif souvent employé par l'artiste : au premier plan, la table, où un vase rempli de fleurs est placé symétriquement au personnage féminin légèrement en retrait. Du souvenir lumineux d'un matin, Bonnard recrée l'ambiance colorée, et à travers un jeu d'assonances de tons, construit une zone d'échange où figure et fond se dissolvent et s'interpénètrent. De l'orange au jaune, du rouge mêlé au violine, du bleu au vert, l'artiste contrôle la juxtaposition des couleurs qui absorbent les ombres et évitent les conflits brutaux, et maîtrise le rôle dynamique et vivifiant du jaune. Menacées de dissolution, ces formes-couleurs ressuscitent grâce à la présence d'autres éléments – la théière rouge, la tasse bleue sur la blancheur de la nappe – dont la tension équilibre l'image.

Le **Nu dans le bain** (1936), l'une des multiples variations du thème de Marthe – son épouse – à sa toilette, est probablement la plus aboutie. Dans l'espace de la salle de bains, construit par la superposition de bandes colorées à motifs géométriques qui annulent la profondeur, l'eau et la lumière éclaboussent le corps étendu, les carreaux tapissant la salle, les mosaïques du sol. La baignoire blanche, dont les contours se

Pierre Bonnard, *Le Déjeuner*, vers 1932
Huile sur toile, 68 x 84 cm
Achat, 1936

Pierre Bonnard, *Nu dans le bain* (*Nu dans la baignoire*), 1936
Huile sur toile, 93 x 147 cm
Achat, 1937

noient dans la couleur bleu-violet, devient le réceptacle du corps d'une Marthe devenue Ophélie. L'éblouissement des jaunes et des bleus se neutralise dans la vibration de leurs complémentaires, le violet et le rose éteints du corps. Ainsi la célébration de la chair peut-elle apparaître aussi, selon le jeu des couleurs, comme l'évocation de sa décomposition.

En effet la fiction du monde peinte par Bonnard semble ne s'être jamais bornée à ne transmettre que l'instant et le seul jeu des apparences. Cette peinture de joie et de sensualité mêlées porte aussi en elle la conscience du moment où le temps devient délétère, cette réalité recréée comprenant déjà de virtuelles métamorphoses.

J. M.

ÉDOUARD VUILLARD (1868-1940)

Les quatre portraits de ses amis au travail, qui occupèrent Édouard Vuillard de 1923 environ jusqu'en 1937, traitent du thème traditionnel de l'artiste confronté à son œuvre. Ils sont un hommage rendu à la fois à sa propre vocation et à des amis de longue date qui suivirent chacun leur voie après avoir œuvré ensemble dans leur jeunesse. Il en réalisa deux versions, achetées par la Ville de Paris en 1937 dont les premières, présentées ici, « maquettes » (le mot est de Vuillard) à la technique très libre, laissent voir la maîtrise à laquelle était parvenu son langage de la maturité *(Maquettes des portraits de* **Pierre Bonnard***, Ker Xavier Roussel, Maurice Denis, Aristide Maillol,* 1929-1935).

Vers 1890, en réaction contre l'impressionnisme jugé évanescent et superficiel à leurs yeux, ces artistes, alors très jeunes, et quelques autres (Paul Ranson, Georges Lacombe, Félix Vallotton, Jan Verkade...) avaient, autour de Paul Sérusier, inauguré un art nouveau à caractère initiatique, qui se voulait une interprétation simplifiée de la nature « par choix et par synthèse » (Maurice Denis), dont ils se disaient ironiquement les prophètes (*Nabis* en hébreu). La dispersion de ce groupe allait coïncider, en 1903, avec la disparition de *La Revue blanche* des frères Natanson.

Il est significatif que, une trentaine d'années après, alors même qu'il menait une activité officielle de portraitiste de la grande bourgeoisie parisienne, Édouard Vuillard s'autorise une telle liberté de facture dans les portraits de ces doubles de lui-même, campés dans leur élément de travail familier : un vaste atelier à l'éclairage égal pour Ker Xavier Roussel, un appentis de jardin pour Aristide Maillol, une chapelle pour Maurice Denis, enfin une banale pièce d'appartement pour Pierre Bonnard. Dominé par le désir d'exprimer toujours davantage l'intégralité de ses sensations visuelles, Vuillard porte, non sans humour, une grande attention aux objets et à l'anecdote révélatrice

Édouard Vuillard, *Portrait de Bonnard*, 1930-1935
Peinture à la colle sur papier, 114,5 x 146,5 cm
Achat, 1937

des habitudes de travail de chacun. L'artiste retrouve là l'intimisme de ses débuts. Ainsi Bonnard examine-t-il une toile fixée à même le mur, tandis que le teckel, compagnon fidèle, émerge dans l'ombre de son maître.

Vuillard continue d'employer fréquemment la peinture à la détrempe, technique antique remise à l'honneur par lui à l'époque nabie, à la faveur de son activité de décorateur du théâtre symboliste contemporain. Les particularités techniques de ce procédé expéditif, qui n'admet pas le repentir, conviennent particulièrement à une spontanéité tempérée par l'exercice de la réflexion.

M. S.

JEAN FAUTRIER (1898-1964)

Fautrier fait ses études artistiques à Londres où il est très sensible à Turner. Après des débuts remarqués dans les années vingt, la crise économique le contraint à interrompre sa carrière. La guerre le ramène à la peinture avec la série des *Otages*, qui en fait l'initiateur de la peinture informelle, se défendant de pratiquer une abstraction « sans sens ». Jean Paulhan est alors le principal défenseur de Fautrier. L'échec commercial des « originaux multiples » (procédé d'œuvres en série, 1950-1956) et l'incompréhension rencontrée par la série des *Objets* en 1955 affectent une notoriété que couronne cependant le prix de la Biennale de Venise en 1960. Mais Fautrier reste par tempérament un solitaire en marge. En 1964, peu avant sa mort, alors que le musée d'Art moderne de la Ville de Paris prépare sa rétrospective, Fautrier fait don de quatorze peintures, de vingt-cinq œuvres sur papier et d'une sculpture, que d'autres donations de collectionneurs sont venu compléter.

Tout juste réformé, Fautrier va séjourner dans le Tyrol autrichien pour des raisons de santé. Il y peint **La Promenade du dimanche** ou *Tyroliennes en habit du dimanche* (1921-1922) qui marque sa première participation au Salon d'automne de 1922. Le dessin appuyé par la touche, la couleur sombre rehaussée du rose des joues (« l'alcool et l'air des montagnes ! » raillait Fautrier) sont d'une veine presque caricaturale et sarcastique, qui rattache cette toile au réalisme tourmenté de la Nouvelle Objectivité allemande plutôt qu'au serein classicisme du « retour à l'ordre » dominant l'entre-deux-guerres en France. Ne se sentant pas non plus d'affinité avec les jeunes néo-réalistes (La Patellière, Gromaire...), Fautrier fait, dès cette œuvre initiale, figure d'isolé sur la scène française.

Jean Fautrier, *La Promenade du dimanche* (*Tyroliennes en habit du dimanche*), 1921-1922
Huile sur toile, 81 x 100 cm
Donation de l'artiste, 1964

Jean Fautrier, *Le Grand Sanglier noir*, 1926
Huile sur toile, 195,5 x 140,5 cm
Donation de l'artiste, 1964

Avec **Le Grand Sanglier noir** (1926), les effets de
matière commencent à s'imposer dans la peinture de Fautrier,
soulignés par un dessin incisif. S'inscrivant dans une série de
gibiers, *Le Grand Sanglier noir* est l'une des trois versions de ce
sujet. Elle appartient à ce que Fautrier appelle sa « période
noire » (1926-1927). Contemporaine du *Bœuf écorché* de
Soutine (1925), elle est à l'opposé de son colorisme. Le noir du
pelage, du fond et des entrailles pourrait refléter l'influence de
Derain ; l'expressionnisme sourd, intériorisé, semble ici relever
d'une tradition française issue des natures mortes de Chardin
que Fautrier admirait, plutôt que de l'héritage de Rembrandt
dont les œuvres l'avaient déçu.

Jean Fautrier, *La Juive*, 1943
Huile sur papier marouflé sur toile, 73 x 115,5 cm
Donation de l'artiste, 1964

Peinte en 1943, pendant les exécutions qui avaient lieu près de chez lui, à La Vallée-aux-Loups, ***La Juive*** est liée à la série des *Otages* exposée (et datée) en 1945, à la galerie René Drouin, exposition qui marque la redécouverte de Fautrier. Si le dessin évoque des formes féminines, la matière, cet épais enduit qui va devenir la technique de Fautrier, vient signifier le drame du magma auquel le corps retourne par la mort. Ce tellurisme de la pâte qui bouscule l'image, de la matière qui vient malmener la forme, fait de Fautrier une référence pour « l'art informel » qui, sous l'égide du critique Michel Tapié, va dominer la peinture française des années cinquante. Ici, comme lorsqu'il évoquera les *Partisans* hongrois en 1953, Fautrier fait œuvre militante.

Provocante par sa référence figurative chez ce « père adopté » de l'informel, la série des *Objets*, à laquelle Fautrier travaille depuis 1946, passe inaperçue lors de son exposition en 1955, en pleine vague abstraite. Son langage reste cependant le même et **L'Encrier** (1948) montre bien la technique mise au point par Fautrier : l'enduit de plâtre, proche du stuc, est malléable mais garde l'acuité du dessin appuyé sur les reliefs ; des traits incisifs viennent innerver l'image qu'y construit un léger jet de poudre de pastel ou un jus de peinture à l'huile très diluée. Clin d'œil à l'écrivain qui, avec Malraux, soutint Fautrier, *L'Encrier* a appartenu à Jean Paulhan.

G. A.

Jean Fautrier, *L'Encrier*, 1948
Huile sur papier marouflé sur toile, 34 x 41 cm
Don René de Montaigu, 1990

La Danse inachevée (1931)
La Danse de Paris (1931-1933)
d'Henri Matisse

La Fée Électricité (1937)
de Raoul Dufy

les *Rythmes* (1938)
de Sonia et Robert Delaunay

la *Grande Composition* (1938)
d'Albert Gleizes

la décoration *Sans titre* (1938)
de Jacques Villon

Parmi les rares œuvres ayant survécu, ces décorations témoignent de l'essor de la peinture monumentale au cours des années trente en France.

HENRI MATISSE (1869-1954)
LA DANSE (1931-1933)

Les deux triptyques, **La Danse inachevée** (1931) et **La Danse de Paris** (1931-1933), constituent deux versions de la composition murale commandée à Henri Matisse en 1930 par le docteur Albert C. Barnes. Albert Barnes, qui possédait alors la plus grande collection d'œuvres de Matisse, s'adresse à lui pour décorer la grande galerie de sa fondation à Merion (Pennsylvanie). L'emplacement qui lui est alloué est contraignant : trois lunettes dans un plafond à voussures, couronnant trois portes vitrées de six mètres de haut donnant sur le jardin, c'est-à-dire un espace très allongé, à contre-jour, coupé par deux pendentifs risquant d'interrompre le décor et la présence sur les cimaises de tableaux exceptionnels qu'il fallait éviter d'écraser.

Matisse se fixe comme but de « traduire la peinture en architecture, de faire de la fresque l'équivalent du ciment ou de la pierre [1] » et de suggérer « dans un espace limité, l'idée de l'immensité [2] » « avec l'idée constante de créer un ciel au jardin que l'on voit par ces portes-fenêtres [3] ».

Le sujet retenu par Henri Matisse est la danse, thème privilégié de l'artiste dès 1905-1906, à l'arrière-plan de *La Joie de vivre* et développé, en 1909-1910, dans *La Danse Chtchoukine*. Matisse partage en effet l'intérêt de nombre de ses contemporains pour la danse, pour les ballets russes notamment. D'autre part, deux de ses principaux modèles des années vingt, Henriette Darricarrère et Lisette Clarnète, ont suivi des cours de danse.

Cette peinture de 3,50 m sur 13 m, conçue devant l'emplacement même, est exécutée à Nice, 8, rue Désiré-Niel, dans un ancien garage loué précisément pour ce travail.

Matisse procède au départ de façon académique : nombreux dessins, mise au carreau, études à l'huile. Puis, en avril 1931, il commence l'ébauche de la composition dans son format réel sur les trois toiles de ce qui sera *La Danse inachevée* : « Cette fois, lorsque je voulus faire des esquisses sur trois toiles d'un mètre, je n'y arrivai pas. Finalement, je pris trois toiles de cinq mètres, aux dimensions mêmes de la paroi, et un jour, armé d'un fusain au bout d'un long bambou, je me mis à dessiner le tout d'un seul coup. C'était en moi comme un rythme qui me portait[4]. »

Si la ronde de *La Joie de vivre* (1905-1906) comportait six danseuses et celle du panneau Chtchoukine (1909-1910) cinq, celle que Matisse s'efforce d'inscrire dans l'architecture en compte huit, deux d'entre elles étant en partie cachées par les pendentifs. La figure debout du panneau gauche et celle de dos du panneau central sont directement empruntées à *La Joie de vivre* et à *La Danse Chtchoukine*. Mais la ronde se brise, deux danseuses sont tombées à terre et s'efforcent de saisir les mains de leurs voisines. L'introduction dans le panneau central de la danseuse « en attitude » contribue à la cohésion de l'ensemble, comme si la force de l'appui contrecarrait la tension née des mouvements extrêmes des danseuses, l'énergie du repoussé se propageant à l'ensemble et autorisant l'élan ascensionnel. Matisse a confié que lors de l'exécution de *La Danse Barnes*, il sifflait l'air de la farandole qu'il avait entendu autrefois au Moulin de la Galette. Pourtant, l'iconographie de *La Danse inachevée* participe davantage de la chorégraphie des ballets russes que des danses populaires.

Les figures sont athlétiques, la musculature marquée ; dans le panneau gauche, l'échelle des figures est ajustée aux dimensions des toiles, la danseuse debout épousant la courbe de la lunette ; dans les deux autres panneaux, Matisse décide d'agrandir les danseuses, quitte à les fragmenter, n'hésitant pas à sectionner bras et jambes, laissant au spectateur le soin de reconstituer mentalement le hors-champ gigantesque qu'une telle composition implique.

Sur un fond bleu, les figures sont peintes à l'huile dans une couleur grise pour qu'elles s'intègrent au mur de pierre grise. Des effets de touches, de modelés, de profondeur, un rendu très pictural font que cette peinture, en dépit de ses dimensions, reste un tableau au sens traditionnel, dans lequel « l'élément humain » est présent, et non une peinture architecturale. La force et l'énergie qui s'y manifestent, mais aussi son inachèvement, la trace des tâtonnements et repentirs de l'artiste révélant le processus de fabrication en font une œuvre exceptionnelle.

En septembre 1931, Matisse abandonne l'exécution de cette version en raison des remaniements incessants et épuisants que demande la mise au point à l'huile de cette composition d'un format « surhumain » (l'artiste a alors soixante-et-un ans). Il commence *La Danse* dite *de Paris* en adoptant le procédé des papiers découpés, colorés, qu'il épingle sur *La Danse inachevée*. Il demande à un peintre en bâtiment de gouacher des piles de feuilles de papier en rose, bleu, noir et gris. Il épingle ces feuilles sur les toiles de *La Danse inachevée*, utilisées comme support, puis il rectifie au fusain la composition et découpe le long des nouveaux tracés, son assistante devant ensuite glisser et fixer de nouvelles feuilles de papier.

Henri Matisse avait déjà eu recours à cette technique des papiers découpés en 1920 pour la maquette du décor et des costumes du ballet *Le Chant du rossignol*, mais c'est la première fois qu'il l'utilise à une si grande échelle. Cette technique d'innovation radicale lui permet d'exécuter des modifications rapides sans avoir à gratter ou à attendre que la peinture sèche.

Une série de photographies réalisées de l'automne 1931 à mars 1932, selon une méthode de travail fréquente chez Matisse, montre les différentes étapes de l'élaboration de *La Danse de Paris*.

Matisse, à la suite d'une erreur dans les dimensions des pendentifs (auxquels il avait donné 50 cm de large au lieu de 1 m),

Henri Matisse, *La Danse inachevée*, 1931
Huile sur toile, fusain, panneau gauche : 344 x 402 cm, panneau central : 358,2 x 499 cm, panneau droit : 344 x 398 cm
Panneau gauche : dation à l'État, 1993 - Ancienne collection Pierre Matisse. Dépôt Centre Georges Pompidou /
Musée national d'art moderne / Centre de Création industrielle
Panneaux central et droit : achat de la Ville de Paris, 1993

Henri Matisse, *La Danse de Paris*, 1931-1933
Huile sur toile, panneau gauche : 340 x 387 cm, panneau central : 355 x 498 cm, panneau droit : 335 x 391 cm
Achat, 1937

suspend, au printemps 1932, l'exécution de *La Danse de Paris* et entreprend, en juillet 1932, sur de nouvelles toiles, *La Danse* dite *de Merion* pour laquelle il renouvelle l'iconographie, le traitement des figures et la composition mais conserve une palette de couleurs identiques. « La seconde n'est pas une simple réplique de la première, car à cause de ces pendentifs différents devant composer avec des masses d'architectures plus fortes du double, j'ai dû changer ma composition. J'ai fait un travail, même, de sentiment différent : le premier est guerrier, le second dionysiaque [5]... »

Cette version est installée à la Fondation Barnes en mai 1933 par Henri Matisse.

En août 1933, Matisse reprend la composition de *La Danse de Paris* restée à l'état d'ébauche sous forme de papiers découpés et épinglés sur les toiles de *La Danse inachevée* depuis le printemps 1932.

La composition définitive de *La Danse de Paris* est reportée sur de nouvelles toiles par le transfert de groupes de papiers collés ensemble, au moyen de petites bandes gommées. La couleur est alors appliquée par le peintre en bâtiment, des teintes plates identiques à celles qu'il avait apposées sur les feuilles de papier ; Matisse ajoute quelques traits et accents au fusain et reprend les contours. L'œuvre est achevée en novembre 1933.

La ronde a fait place à une frise de six danseuses isolées, à la monumentalité plus accentuée. La fragmentation des figures est encore plus marquée que dans les versions précédentes, les bras et les jambes pouvant être brutalement sectionnés et sans terminaison. L'utilisation de bandes de couleur dont l'agencement en ogives s'oppose aux mouvements des figures, le choix d'une palette restreinte pour jouer les complémentarités avec le lieu (présence du jardin et des autres œuvres de la collection), et surtout le procédé des papiers découpés amènent une progression déterminante dans l'intégration de la peinture à l'architecture. Les compartiments noirs visent à contrebalancer la lumière intense qui pénètre par les portes-fenêtres, nuisible à la visibilité de l'œuvre.

Avec le procédé révolutionnaire des papiers découpés, Matisse rompt avec des procédures artisanales ainsi qu'avec ses œuvres intimistes et naturalistes de sa première période niçoise. Il renonce à l'exécution manuelle au profit d'une exécution mécanique, confiée à un tiers, et mieux adaptée à un travail plus architectural qu'expressif. La simplification du dessin – l'anatomie étant résumée par quelques rares traits de pinceau – l'absence de perspective, la planéité conquise ouvrent la voie aux grandes compositions abstraites et aux gouaches découpées et font de *La Danse de Paris* une œuvre capitale.

Après l'achèvement de *La Danse de Paris, La Danse inachevée* est roulée et sera oubliée jusqu'à sa découverte en 1992. Elle entre dans les collections du musée l'année suivante, le panneau de gauche par dation et les panneaux central et droit acquis par la Ville de Paris, et rejoint ainsi *La Danse de Paris* qui avait été acquise en 1937 par la Ville de Paris.

J. L.

1. Henri Matisse, *Écrits et propos sur l'art*, présentés par Dominique Fourcade,

Hermann, 1972, nouvelle éd. 1992. « Entretien avec Dorothy Dudley », p. 140.

2. *Op. cit.*, « Entretien avec Georges Charbonnier », p. 154.

3. *Op. cit.*, « Entretien avec Dorothy Dudley », p. 142.

4. *Op. cit.*, « Propos rapportés par Gaston Diehl », p. 151.

5. *Op. cit.*, « Lettres à Alexandre Romm », p. 145.

RAOUL DUFY **(1877-1953)**
LA FÉE ÉLECTRICITÉ **(1937)**

Construit par l'architecte Mallet-Stevens, le Palais de la lumière et de l'électricité qui abrite **La Fée Électricité** en 1937, est un pavillon majeur de l'« Exposition internationale des arts et techniques dans la vie moderne » organisée à Paris cette année-là. Chargé par la Compagnie parisienne de distribution d'électricité (CPDE) d'exécuter l'immense décoration du hall de l'électricité, Dufy va déployer à une échelle monumentale ses possibilités techniques et plastiques, abordant son sujet, l'électricité, en toute liberté (seule contrainte : les dimensions et la forme du mur en arc de cercle très ouvert que doit épouser l'œuvre).

En mai 1936, avant de donner son accord, il relit le long poème de Lucrèce, *De rerum natura*, dont l'écho semble se répercuter au cœur même de *La Fée Électricité*. Le peintre y parachève en quelque sorte l'œuvre du poète en élevant un temple à l'électricité, déesse des temps modernes : nimbée d'une lumière bleutée, la centrale électrique, tout en filigranes blancs, trône. Un faisceau d'éclairs jaillit, symbole de l'énergie et attribut de Zeus. Surplombant la composition, au fronton de ce temple du progrès, les dieux cependant veillent. Leur messager, Hermès, flotte entre l'espace médian qu'ils habitent et celui qui s'ouvre sur le monde moderne. Dans l'un, sa corne d'abondance recueille l'énergie qu'il semble distribuer dans l'autre.

Donnée par l'Électricité de France, *La Fée Électricité* est installée au musée en 1964, dans une salle ovale du fond de laquelle ce vaste foyer central polarise d'emblée le regard du visiteur. De part et d'autre, la composition s'organise selon une géométrie simple, déroulant sur deux registres superposés l'histoire de l'électricité.

Au registre inférieur se déploie la frise constituée des portraits des philosophes, savants et ingénieurs de l'électricité. La variété des costumes, des postures et, à un degré moindre des visages anime ces groupes ordonnés en masses colorées. Les noms inscrits en légende individualisent les personnages plus

Raoul Dufy, *La Fée Électricité*, 1937
Huile sur contreplaqué, 10 x 60 m (250 panneaux de 2 x 1,20 m)
Don Électricité de France, 1951

Raoul Dufy, *La Fée Électricité* (détail), 1937
Huile sur contreplaqué

sûrement que les traits du visage. Ce qui, loin d'annihiler le soin scrupuleux apporté par Dufy aux dessins préparatoires exécutés pour chacun d'eux, prouve, au contraire, qu'évitant la monotonie d'une galerie de portraits, il a su inventer des moyens picturaux lui permettant de fondre les grands noms de l'histoire de l'électricité dans l'ensemble de sa composition. Les personnages sont enveloppés dans des halos. Le regard peut ainsi passer sans solution de continuité des portraits – qui par nature le focalisent – au paysage, multiple et foisonnant, qui s'étend tout au long du registre supérieur et déplie l'éventail des transformations du monde accomplies par l'énergie électrique.

Une lumière d'ambre baigne le monde bucolique et luxuriant des origines. Quand l'usine entre dans le paysage, un rouge vif surgit – couché en aplats géométriques tous semblables, comme des produits manufacturés – signe d'un monde nouveau, industriel et urbain développé au XIXᵉ siècle, à partir des découvertes d'Ampère et de Faraday en particulier. Tous deux, traits d'union entre l'époque de la recherche et celle de l'application, symbolisent ce passage d'un monde à l'autre.

Après Faraday, les volets de cet immense polyptyque se multiplient, le mouvement s'accélère. Les paysages géométriques se succèdent plus vite, jusqu'à se chevaucher au rythme heurté des temps modernes : bleus d'acier, lueurs nocturnes, jaunes flamboyants du métal en fusion des fonderies, aplats rouges (coque du Normandie, drapeaux du 14 juillet, néons). Et, pour finir, le cinéma, dernier avatar de la déesse électrique.

Guidé par l'ordre chronologique – les costumes indiquant les époques – l'œil parcourt de droite à gauche, en un sens insolite, les deux registres confondus dans les mêmes vagues de couleurs successives. Ce double cheminement narratif, suspendu à mi-course, se poursuit au-delà de l'ample espace médian dont la clarté diaphane dissipe les limites, jusqu'à l'envol d'Iris dans la lumière.

Colossale et spectrale, la fée s'envole dans les couleurs de l'arc-en-ciel. Iris, messagère des dieux, porte au monde à travers les ondes le dernier mouvement du poème symphonique qui l'exalte. Dans ses voiles, le regard s'enroule avant de remonter le cours de l'œuvre-fleuve, pour une nouvelle lecture... Une remontée vers l'origine où perce une certaine nostalgie de l'âge d'or, à l'encontre de l'apologie du progrès programmée par l'Exposition de 1937.

M. C.

« RÉALITÉS NOUVELLES »

Les *Rythmes* (1938) de Sonia et Robert Delaunay, la *Grande Composition* (1938) d'Albert Gleizes et la décoration *Sans titre* (1938) de Jacques Villon témoignent d'un renouveau de l'abstraction lié à l'essor de l'art mural dans les années trente. L'art mural apparaît comme une solution politique et esthétique pour palier la défection des marchands et des collectionneurs, touchés par la crise économique, en donnant de nouveaux débouchés aux artistes et conjointement répondre aux attaques portées à l'encontre de l'art d'avant-garde accusé d'être coupé du peuple. Ainsi, Robert Delaunay justifie la portée sociale de son art en proclamant en 1935 : « Moi artiste, moi manuel, je fais la révolution dans les murs. » Après le premier Salon de l'art mural organisé en 1934 par l'Association des écrivains et artistes révolutionnaires (A.E.A.R.), le gouvernement du Front Populaire, dans le cadre de l'Exposition internationale des arts et techniques de 1937, passe commande à 464 peintres et 271 sculpteurs. Robert et Sonia Delaunay réalisent les décorations du Pavillon des chemins de fer, et avec Gleizes, celles du Palais de l'air. Cet effort culturel fut poursuivi, en 1938, par le financement de toiles monumentales réalisées par Gleizes, Villon, Sonia et Robert Delaunay, destinées à agrémenter le hall de sculptures du Salon des Tuileries.

Ces décorations figurèrent à l'exposition des « Réalités Nouvelles » (galerie Charpentier en 1939) et firent l'objet d'un don à la Ville de Paris. La conception de cette exposition, qui défendait l'art non figuratif (principalement géométrique) comme un « nouveau réalisme », présidera à la création du premier Salon des Réalités Nouvelles en 1946.

Les trois *Rythmes* de Robert Delaunay et celui de Sonia Delaunay attestent de la proximité de leurs langages plastiques qui renouvellent totalement l'orphisme des années dix par la simplification du rendu des formes géométriques, la variation rythmique des enchevêtrements circulaires ou hélicoïdales et

Sonia Delaunay, *Rythme (Disques)*, 1938
Huile sur toile, 536 x 595 cm
Don Réalités Nouvelles, 1939

surtout l'affirmation radicale d'une abstraction bidimensionnelle. Dès le début des années vingt, Sonia Delaunay avait affranchi sa création (liée à des commandes d'arts graphiques ou décoratifs) de toute référence au monde extérieur alors que Robert tente plus tard, en 1930, l'aventure de l'art non figuratif. Avec Villon et Gleizes, ils participeront au mouvement international Abstraction-Création (1931-1936) qui défend l'art non figuratif, attaqué à la fois par les tenants du surréalisme et du réalisme dans le cadre d'un débat idéologique virulent.

La décoration murale est aussi pour Albert Gleizes un enjeu essentiel. Dès 1920 son projet mural pour la gare de Moscou en témoigne ainsi que ses écrits théoriques dont *La Forme et l'histoire* (1932). Dans les années trente, ses toiles abstraites retravaillent la « rotation et translation des plans », inaugurées au cours de la période 1922-1923, en éliminant l'aspect fragmentaire, tout en renforçant le rythme et l'unité de la composition par des lignes circulaires plus ou moins épaisses. Par ailleurs, son intérêt pour l'art roman et l'influence grandissante de sa foi chrétienne modifient son abstraction en laissant transparaître une iconographie religieuse, tel ici dans la **Grande composition** le Christ en gloire.

Également engagé dans le combat d'un art moderne pour tous, Jacques Villon dans sa décoration *Sans titre* (1938) se démarque par l'originalité de sa palette. Les accords de couleur rose, jaune et bleu pâle contrebalancent la rigueur de sa composition et préfigurent les tons pastel et lumineux de ses tableaux des années cinquante.

C. M.

Albert Gleizes, *Grande Composition*, 1938
Huile sur toile, 536 x 585 cm
Don Réalités Nouvelles, 1939

DE L'APRÈS-GUERRE AUX ANNÉES SOIXANTE

FIGURATIONS, NON-FIGURATIONS ET SINGULARITÉS

Au lendemain de la Deuxième Guerre mondiale, « la jeune peinture française » s'attache à rénover l'héritage artistique national, de l'art roman au cubisme en passant par Bonnard et le fauvisme. En 1941, l'exposition à la galerie Braun de Paris « Vingt jeunes peintres de la tradition française » attestait déjà de cette volonté qui imprégnera, par la suite, une majorité d'artistes de la seconde École de Paris. Englobant certains artistes français et étrangers, ou se restreignant aux seuls étrangers vivant à Paris, le contenu controversé de celle-ci se différencie toutefois de la première par la prédominance des expressions non figuratives. Ces dernières se déploient sur un vaste champ qui recouvre l'abstraction géométrique, lyrique, gestuelle, mais aussi une expression composite qui « renoue » avec la nature et « le monde » selon l'expression de Bazaine, dépassant ainsi le clivage, pour lui réducteur, entre figuration et abstraction.

Jean Bazaine (né en 1904) fixe comme objectif « un concret retrouvé au-delà de l'abstrait, une conception totale de l'espace-couleur qui pousse la peinture dans sa voie la plus large et la plus authentique ». Son tableau *Objets du soir* (1942), comme celui de Roger Bissière (1886-1964), *Joueuse de guitare* (1946), procède de cette « tradition française » revendiquée avec une palette d'un fauvisme tempéré aux couleurs nationales (bleu, rouge) et un mode d'organisation de l'espace plan du tableau en une grille, héritée aussi bien du cubisme que des vitraux romans.

Dans la filiation de Bonnard et soucieux avant tout de réconcilier art moderne et spiritualité, Alfred Manessier (1911-1993) revendique son inspiration chrétienne, tout en ne se limitant pas aux sujets religieux : « Il s'agit de rechercher un langage ou un signe plastique retenant à la fois le monde sensoriel comme émotion et le monde spirituel comme révélation finale ; mettre à nu, par des moyens authentiquement plastiques, les équivalences spirituelles du monde extérieur et d'un monde intérieur » (*Esprit*, Paris, juin 1950).

André Lanskoy (1902-1976), un des représentants du passage à la non figuration – qui se fait pour lui en 1941 – développe une œuvre singulière à l'écart des groupes et des théories, visant à restituer une organisation interne à la peinture (*Composition*, 1954-1955). « Un coup de pinceau posé sur une toile cherche à trouver une forme et lutte contre les autres formes posées sur la même toile. Quand cette lutte aboutit à un accord, un monde se crée dans le tableau, qui impose ses lois et possède son langage. Il faut se fier à l'indifférence de la nature et avoir confiance en l'exigence du tableau. »

Parce que l'œuvre de Josef Sima (1891-1971) est une exploration onirique de l'univers, elle n'appartient pas à l'abstraction, même si elle s'épure progressivement jusqu'à ne plus représenter que la lumière : « C'est la lumière et l'unité de toutes choses qui constituent le sujet de ma peinture, c'est l'unité de la matière dont la lumière est la manifestation la plus sublime, lumière conçue non pas comme un fluide mystérieux éclairant les objets, mais comme une force créant l'existence des objets. » Enraciné dans la culture et la tradition tchèque, l'artiste évolue sous l'influence du contexte littéraire et artistique parisien vers un surréalisme à caractère informel. Avec *Orphée* (1957), le mythe orphique du passage de la vie à la mort, comme passage de la terre à la lumière, du réel à l'imaginaire, devient-il métaphore de la création de l'artiste.

La figuration réapparaît au lendemain de la guerre, dans la diversité des personnalités, à l'écart de toute classification.

Parmi les tendances réalistes, se détache la peinture austère, « misérabiliste » de Francis Gruber (1912-1948). Ami de Giacometti depuis 1938, Gruber comme lui décrit sans artifice la personne humaine, dans un décor dénudé qui est souvent celui de l'atelier. Son influence sur Bernard Buffet (né en 1928), qui découvre l'œuvre de Gruber en 1944, apparaît dans les nus : le *Nu au gilet* (1944) de Gruber, le *Nu debout* (1949) de Bernard Buffet réaffirment la primauté du dessin, trait noir sans complaisance qui cerne brutalement les choses et emprisonne l'individu dans sa solitude.

La participation de Gaston Chaissac (1910-1964) à l'exposition « L'art brut préféré aux arts culturels », organisée en 1949 par Jean Dubuffet à la galerie René Drouin, rompt exceptionnellement avec son isolement total en Vendée où il s'établit en 1942. Son œuvre, qu'il qualifiait lui-même de « peinture rustique moderne », allie la spontanéité, l'élémentaire à l'humour. Elle est faite d'éléments imbriqués, figuratifs et abstraits (matériaux de récupération et dessins, papiers peints et gouaches) sur des supports aussi divers que le carton, la tôle, le bois... Le **Totem** (1963-1964) appartient à une série, commencée en 1954, de personnages érigés en bois peint qui, retrouvant la fantaisie de l'enfance, mêle le burlesque au magique.

Occupant une place tout à fait à part, l'œuvre d'Eugène Leroy (né en 1910) retrouve la grande tradition de la peinture. **Le Portrait** (1962-1963), ou plutôt la « tête », comme aime à le préciser l'artiste, est un de ses thèmes privilégiés. Il ne s'agit pas de restituer une ressemblance (ses têtes peuvent avoir pour origine un bouquet de fleurs, un nu...), mais « de mettre un objet dans la peinture, lumière devant, lumière derrière ». La matière de la peinture, dense, épaisse, retravaillée souvent pendant plusieurs mois et même plusieurs années, est

Eugène Leroy, *Le Portrait*, 1962-1963
Huile sur toile, 100 x 81,5 cm
Achat, 1988

En page de gauche :
Gaston Chaissac, *Totem*, 1963-1964
Bois peint, 151 x 21 cm
Achat, 1991

le lieu d'un équilibre entre la lumière (la présence) et l'obscurité (l'absence) : « Tout ce que j'ai jamais essayé en peinture, c'est d'arriver à cela, à une espèce d'absence, pour que la peinture soit totalement elle-même » (1979).

ABSTRACTIONS

L'après-guerre voit surgir une phalange de jeunes artistes, qui entend se libérer de la tradition en créant un « art autre » – selon Michel Tapié – expression d'une énergie existentielle liant intimement le corps à l'esprit. L'« abstraction lyrique » et ses variantes, art gestuel, informel et tachisme, seront influencés par l'automatisme surréaliste, la phénoménologie et l'existentialisme tout autant que par la philosophie orientale.

C'est autour de Hartung et de Wols que Bryen et Mathieu organisent l'exposition « L'imaginaire » (galerie du Luxembourg, 1947) où ce regroupement encore hétérogène est désigné par le terme d'« abstraction lyrique ». Très vite, la critique y voit l'influence de Pollock ou celle de l'école du Pacifique. Deux articles de Mathieu, « Déclaration aux peintres américains d'avant-garde » (1952) et « L'avant-garde américaine est-elle surestimée ? » (1953) écartent toute confusion en soulignant l'originalité du mouvement.

L'abstraction lyrique se démarque aussi de la calligraphie d'Extrême-Orient, mise au goût du jour par Michaux et Tobey ainsi que par l'exposition « Peinture calligraphique moderne au Japon » chez Colette Allendy en 1952. En 1956, Mathieu fait le point lors d'une conférence à l'UNESCO sur « les rapports de la calligraphie extrême-orientale et de la peinture non-figurative lyrique ».

« Ce que j'aime, c'est agir sur la toile » déclare Hans Hartung (1904-1989). Allemand d'origine, installé en France depuis 1935, il est un des précurseurs de l'abstraction lyrique. Sa *Composition* (1946) se rattache à ses travaux de l'entre-deux-guerres par la volonté de transcrire l'énergie psychomotrice, mais innove par un graphisme gestuel plus nerveux, dynamique et ample, tandis que la couleur devient plus atmosphérique, légère et poétique. Cette démarche, qui concilie corps et esprit, ordre et liberté, contrôle et spontanéité, fut d'emblée remarquée.

Pierre Soulages, *Peinture 114 x 162 cm, 16 décembre 1959*, 1959
Huile sur toile, 114 x 162 cm
Achat, 1967

Pierre Soulages (né en 1919) se dégage assez vite d'une pure gestualité, y voyant une figuration du mouvement ou encore un « psychogramme » haïssable. Dès le milieu des années cinquante, l'artiste réduit l'expressivité du geste linéaire en le remplaçant par celui de la truelle dans la pâte, conférant ainsi au mouvement picturalité, poids et ampleur structurale. Une palette sombre affectionnant les bruns et le noir (mat ou brillant), le rendu de la profondeur dévoilant la lumière de l'arrière-fond par raclage de la matière, confèrent à son œuvre une gravité propre. La présence quasi obsessionnelle du noir, qu'illustre déjà **16 décembre 1959**, sera constamment reconduite, voire franchement monumentalisée à partir de 1983.

L'horizon poétique de Henri Michaux (1899-1984) s'élargit au langage visuel, après avoir rencontré Jean Dubuffet en 1945. *Sans titre* (1957) témoigne de l'originalité de son écriture plastique, influencée par l'automatisme surréaliste et la calligraphie chinoise. Ses signes morcelés, légers, répétitifs et rapides se veulent l'enregistrement sismographique d'états psychiques parfois intensifiés par la mescaline. « Je peins comme j'écris.../ Pour être le buvard des innombrables passages qui en moi (et je ne dois pas être le seul) ne cessent d'affluer./ Pour les arrêter un instant et plus qu'un instant. Pour montrer aussi les rythmes de la vie et, si c'est possible, les vibrations même de l'esprit (1959). »

« Pour moi la rencontre avec l'attitude Zen a été capitale... Le plein et le délié de l'écriture sont une respiration » déclare, en 1961, Jean Degottex (1918-1988). *Écriture* (1962) est un bon exemple d'une démarche qui cherche à formuler, en quelques signes essentiels, la transcendance par l'effacement de l'individu. Souffle et élan spirituels s'énoncent à travers le « presque rien » de l'écriture au sein de l'espace pictural.

Les œuvres que Brion Gysin (1916-1986) a léguées au musée donnent une vision assez complète de son cheminement : du surréalisme (1935-1939) au mixage des calligraphies extrême-orientale et arabe (étudiées en Corée puis à Tanger), suivis de la permutation de signes gestuels autonomes. À partir de 1961, ces derniers sont remplacés par des vignettes photographiques disposées dans le désordre sur une trame picturale réalisée au rouleau (*Notre-Dame*, 1974). Le *melting-pot* des cultures, le brouillage du langage – objectif partagé avec William Burroughs – la recherche d'un sens qui naîtrait d'un ordre perturbé par des permutations mathématiques, le hasard ou la transe psychédélique, sont les clefs de cette exploration investissant peinture, poésie, littérature, film, performance et musique rock.

Né à Pékin en 1921, Zao Wou-Ki arrive à Paris en 1948. Depuis cette date, son œuvre élabore une symbiose de la Chine et de l'Occident. En 1954, sa peinture figurative s'oriente naturellement vers l'abstraction : ses signes, transfigurant les éléments d'un paysage, se métamorphosent en idéogrammes réinventés à partir d'anciens caractères chinois. En 1956, le critique Michel Ragon situe l'œuvre de Zao Wou-Ki dans le « paysagisme abstrait », y voyant une transposition de la nature. Mais comme le révèle *6 janvier 68*, l'artiste cherche surtout à transcrire un paysage intérieur et à libérer un souffle vital qui émane du vide.

Dès 1943, Olivier Debré (né en 1920) se consacre à l'abstraction. Si, dans les années cinquante, sa pâte évoque la « maçonnerie » de la matière inaugurée par Nicolas de Stael, après un voyage aux États-Unis (1958-1959), sa peinture fait preuve d'une nouvelle emphase du format, de la couleur et de l'espace ouvert dans un souci affirmé d'un équilibre. *Loire ocre, le soir* (1970) illustre cette volonté de contrebalancer une plage de silence par des concentrations de force sur quelques points. Le titre du tableau renvoie à l'émotion sensorielle plus qu'il ne se réfère au paysage lui-même.

Au sein de l'abstraction lyrique, Bram Van Velde occupe une place particulière. Influencées par l'expressionnisme du Picasso des années trente, ses œuvres d'après guerre expriment moins la violence que « l'impossibilité de peindre », selon l'expression de son ami Samuel Beckett. Cette exigence, rarement satisfaite, se traduit par un répertoire plastique limité et répétitif où des structures molles asphyxient totalement l'espace, où la transparence des couleurs s'opacifie par accumulation, où la fluidité de gestes lents est sans cesse interrompue par des reprises. Peindre inlassablement l'absurde, pour cet artiste angoissé, demeure l'unique moyen de se reconstruire.

Dans les années trente, les sculptures de Lucio Fontana (1899-1968), qu'elles soient abstraites, recouvertes de *graffitis*, ou naturalistes, organiques et matiéristes, préfigurent l'art informel d'après guerre. Toutefois, c'est le « Spacialisme »

(1946) – l'espace comme matière, dépassement des limites traditionnelles de l'art – qui nourrira ses recherches plastiques jusqu'à sa mort. Aux toiles perforées de trous, aux collages de matière, succèdent les entailles (tel ici, **Concetto spaziale**, 1960). Ces gestes spécifiques, inscrits en creux, deviennent signes ambivalents : de l'absence comme trouée de matière et de la présence du dehors-dedans, en ouvrant le tableau sur la profondeur de l'espace.

Hongrois d'origine, Simon Hantaï (né en 1922) s'installe à Paris en 1949, où il rencontre le surréalisme. Il mène alors diverses expérimentations : collages, empreintes, découpages, taches, frottages – auxquelles il ajoutera le pliage en 1960 – comme autant de techniques favorisant la liberté de création. Au début de sa carrière parisienne, l'artiste est hanté par l'organique et le viscéral. De 1954 à 1959, sa peinture s'oriente vers l'expression gestuelle et une écriture de signes jusqu'à leur dépersonnalisation par le pliage en 1960. Cette nouvelle méthode de création, qui consiste à peindre avec une ou plusieurs couleurs sur une toile préalablement et diversement pliée, est une renonciation délibérée « aux privilèges du talent » pour faire surgir l'inconnu et « la nudité de l'être ». Il en résulte une interpénétration du motif et du fond, l'un et l'autre interchangeables selon l'accommodation du regard. Ainsi, le pliage et par la suite le froissage renouvelaient conjointement le *all-over* de Pollock – espace total ouvert – et les papiers découpés de Matisse, en dessinant autrement dans la couleur. *L'Étude pour Pierre Reverdy* (1969) témoigne d'un profond lyrisme émanant d'une exigence de réduction sans cesse et diversement reconduite.

G. F.

Lucio Fontana, *Concept spatial (Concetto spaziale)*, 1960
Peinture vinyle sur toile, 167 x 127 cm
Don de Mme Rasini-Fontana, 1969

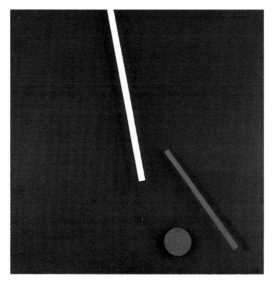

Jean Tinguely, *Méta-Malevitch*, 1954
Bois laqué et peint, métal, petits moteurs, poulies, câble d'entraînement, 40 x 40 x 8 cm
Achat, 1992

Objet de réaccrochages fréquents, les collections contemporaines du musée, à partir des années soixante, sont seulement évoquées ici sous la forme d'une liste alphabétique des artistes. De façon élective, ces collections rendent compte de grandes tendances de l'art européen qui ont donné lieu à des expositions au musée : mouvements (nouveau réalisme, arte povera, nouvelle figuration, figuration narrative, B.M.P.T., support-surface, figuration libre, etc.) ou figures marquantes de l'art d'aujourd'hui dans ses différents modes d'expression.

Magdalena Abakanowicz*
Née en 1920 à Falenty (Pologne)
Vit et travaille à Varsovie (Pologne)

Valerio Adami*
Né en 1935 à Bologne (Italie)
Vit et travaille à Paris (France)
et à Meina (Italie)

Jean-Michel Alberola*
Né en 1953 à Saïda (Algérie)
Vit et travaille au Havre (France)

Pierre Alechinsky
Né en 1927 à Bruxelles (Belgique)
Vit et travaille à Bougival (France)
depuis 1963 et à Labosse (France)

Giovanni Anselmo*
Né en 1934 à Borgofranco d'Ivrea (Italie)
Vit et travaille à Turin (Italie)

Arman*
Né en 1928 à Nice (France)
Vit et travaille à New York
(États-Unis) et à Vence (France)

Eduardo Arroyo
Né en 1937 à Madrid (Espagne)
Vit et travaille à Paris (France)
depuis 1958

Martin Barré*
Né en 1924 à Nantes (France)
Décédé en 1993 à Paris (France)

Georg Baselitz*
Né à Deutschbaselitz en 1938 (Allemagne)
Vit et travaille à Derneburg
(République fédérale d'Allemagne)
et à Imperia (Italie)

Jean-Pierre Bertrand*
Né en 1937 à Paris (France)
Vit et travaille à Paris

François Boisrond
Né en 1959 à Paris (France)
Vit et travaille à Paris

* Artiste dont une œuvre est reproduite

Arman, *Pièce américaine (Conscious Vandalism)*, 1975
Matériaux divers et vidéo, dimensions variables
Don Martine et Didier Guichard, 1996

Daniel Spoerri, *Détrompe l'œil - Forêt vierge*
(La Jungle ou Hommage au Douanier Rousseau), 1963
Matériaux divers, 120 x 172 x 100 cm
Achat, 1995

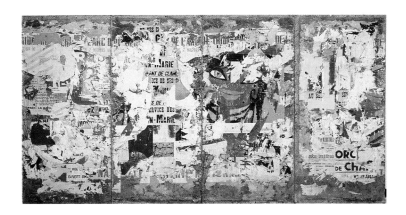

Raymond Hains, *La Gitane*, 1960-1968
Affiches collées sur panneaux d'affichage en tôle, 200 x 402 cm
Achat, 1982

Villeglé, *Boulevard de La Chapelle*, 1965
Affiches lacérées marouflées sur toile, 331,5 x 251 cm
Achat, 1986

Jean-Pierre Raynaud, *Échelle de niveau*, 1969
Plastique, métal, ampoule et fils électriques, 245 x 64 x 20 cm
Don de M. et Mme Philippe Turlure, 1980
Martial Raysse, *Quatre Néons pour Alexandra*, 1967
Néons et transformateur
Achat, 1986
César, *Facel Vega (Rouge, blanc, bleu)*, 1962
Matériaux divers, 153 x 85 x 65 cm
Achat, 1989

Christian Boltanski*
Né en 1944 à Paris (France)
Vit et travaille à Malakoff (France)

Louise Bourgeois*
Née en 1911 à Paris (France)
Vit et travaille à New York
(États-Unis)

Marie Bourget*
Née en 1952 à Bourgoin-Jallieu
(France)
Vit et travaille à Paris (France)

Herbert Brandl*
Né en 1959 à Gratz (Autriche)
Vit et travaille à Vienne (Autriche)

Pierre Buraglio*
Né en 1939 à Charenton-le-Pont
(France)
Vit et travaille à Maisons-Alfort
(France)

Daniel Buren*
Né en 1938 à Boulogne-Billancourt
(France)
Vit et travaille à Paris (France)

Jean-Marc Bustamante*
Né en 1952 à Toulouse (France)
Vit et travaille à Paris (France)

André Cadere
Né en 1934 à Varsovie (Pologne)
Décédé en 1978 à Paris (France)

Louis Cane
Né en 1943 à Beaulieu-sur-Mer
(France)
Vit et travaille à Paris (France)

César*
Né en 1921 à Marseille (France)
Vit et travaille à Paris (France)

Alan Charlton*
Né en 1948 à Sheffield
(Royaume-Uni)
Vit et travaille à Londres
(Royaume-Uni)

Christo
Né en 1935 à Garovo (Bulgarie)
Vit et travaille à New York
(États-Unis)

James Coleman*
Né en 1941 à Ballaghadrreen
(Irlande)
Vit et travaille à Dublin (Irlande)

Gérard Collin-Thiébaut
Né en 1946 à Lièpvre (France)
Vit et travaille à Vuillafans (France)

Daniel Buren, *Sans titre*, 1967
Peinture acrylique sur tissu, 200 x 200 cm
Achat, 1989
Niele Toroni, *Empreintes de pinceau n° 50 répétées à intervalles réguliers (30 cm)*, 1967
Peinture glycérophtalique sur toile préparée, sans châssis
Achat, 1989
Martin Barré, *80-81 - 180 x 168*, 1980-1981
Acrylique sur toile, 180 x 168 cm
Achat, 1983

Pierre Buraglio, *Fenêtre*, 1981
Bois, verre étiré, verre dépoli, 145 x 48 cm
Achat, 1982
Mise au carré, 1974
Bois, voile de nylon, badigeon, 192 x 121 x 3 cm
Achat, 1975
Sarkis, *Blackout Leica Museum*, 1976
59 panneaux sous verre composés de 2 photographies et d'une plaque de plexiglas,
Chaque panneau : 40 x 65 cm
Achat, 1989

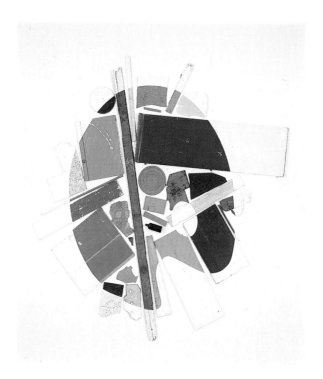

Tony Cragg, *Palette*, 1982
30 éléments peints, matériaux de récupération, 262 x 305 cm
Achat, 1984

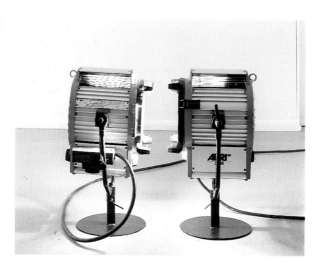

Ange Leccia, *Le Baiser*, 1985
2 projecteurs LTM 2 500 W, 50 x 50 x 60 cm
Achat, 1990

Niele Toroni, « *Cabinet de peinture* »
Empreintes de pinceau n° 50 répétées à intervalles réguliers (30 cm), 1989
Peinture glycérophtalique sur mur
Empreintes de pinceau n° 50 répétées à intervalles réguliers (30 cm), 1979
Peinture glycérophtalique sur papier calque
Commande à l'artiste, 1989

Robert Combas*
Né en 1957 à Lyon (France)
Vit et travaille à Paris (France)

Tony Cragg*
Né en 1949 à Liverpool
(Royaume-Uni)
Vit et travaille à Wuppertal
(République fédérale d'Allemagne)

Hanne Darboven*
Née en 1941 à Munich
(Allemagne)
Vit et travaille à New York
(États-Unis) et à Hambourg
(République fédérale d'Allemagne)

Marc Devade
Né en 1943 à Paris (France)
Décédé en 1983 à Paris

Daniel Dezeuze*
Né en 1942 à Alès (France)
Vit et travaille à Sète (France)

Jan Dibbets
Né en 1941 à Weert (Pays-Bas)
Vit et travaille à Amsterdam
(Pays-Bas)

Erik Dietman
Né en 1937 à Jönköping (Suède)
Vit et travaille à La Selle-sur-le-Bied
(France) depuis 1960

Hervé Di Rosa
Né en 1959 à Sète (France)
Vit et travaille à Frontignan
(France)

Tom Drahos
Né en 1947 à Jablonne
(Tchécoslovaquie)
Vit et travaille à Paris (France)
depuis 1968

Erró
Né en 1932 à Olafsvik (Islande)
Vit et travaille à Paris (France)
depuis 1958

Luciano Fabro*
Né en 1936 à Turin (Italie)
Vit et travaille à Milan (Italie)

Patrick Faigenbaum
Né en 1954 à Paris (France)
Vit et travaille à Paris

Bernard Faucon
Né en 1950 à Apt (France)
Vit et travaille à Paris (France)

Hans-Peter Feldman
Né en 1941 à Düsseldorf
(Allemagne)
Vit et travaille à Düsseldorf

Patrick Tosani, *Vue I*, 1990
Cibachrome, 238 x 420 cm
Achat, 1992

Jean-Luc Moulène, *Monuments*
Sans titre (Pont d'Iéna), Paris, 1994
Cibachrome sur aluminium 2/3, 120 x 150 cm
Achat, 1994
Sans titre (Jardin de Bercy), Paris, 1994
Cibachrome sur aluminium 1/3, 122,5 x 154,5 cm
Achat, 1996
Jean-Luc Mylayne, *N° 30¹ août-septembre 1981*
Photographies couleur, 185 x 185 cm
Œuvre unique
Achat, 1995

Gérard Gasiorowski, *La Guerre de 1974*, 1973-1974
52 éléments, acrylique sur papier ou carton, dimensions variables
Achat, 1983

Eugène Leroy, *Les Oiseaux*, 1987
Huile sur toile, 161,5 x 163 cm
Achat, 1988
Paul-Armand Gette, *La Plage... été 1973*, 1973
20 panneaux comprenant des photographies noir et blanc, photostats, documents, lettraset sur papier bristol,
chaque panneau : 70 x 50 cm
Achat, 1992

Christian Boltanski, *Réserve du Musée des enfants I*, 1989
Vêtements d'enfants, métal, ampoules, dimensions variables
Don de l'artiste, 1989

Ian Hamilton Finlay

Né en 1925 à Nassau (Bahamas)

Vit et travaille à Lanark

(Royaume-Uni)

Roland Fischer

Né en 1958 à Sarrebruck

(République fédérale d'Allemagne)

Vit et travaille à Munich

(République fédérale d'Allemagne)

Alain Fleischer

Né en 1944 à Paris (France)

Vit et travaille à Paris

Bernard Frize*

Né en 1945 à Saint-Mandé

(France)

Vit et travaille à Paris (France)

Gérard Gasiorowski*

Né en 1930 à Paris (France)

Décédé en 1986 à Lyon (France)

Jochen Gerz

Né en 1940 à Berlin

(Allemagne)

Vit et travaille à Paris (France)

depuis 1966

Paul-Armand Gette*

Né en 1927 à Lyon (France)

Vit et travaille à Paris (France)

Gilbert & George

- Gilbert Proersh, né en 1943

dans les Dolomites (Italie)

- George Passmore, né en 1942

dans le Devon (Royaume-Uni)

Vivent et travaillent à Londres

(Royaume-Uni)

Raymond Hains*

Né en 1926 à Saint-Brieuc (France)

Vit et travaille à Nice (France)

Keith Haring

Né en 1958 à Kunztown

(États-Unis)

Décédé en 1990 à New York

(États-Unis)

Craigie Horsfield

Né en 1949 à Cambridge

(Royaume-Uni)

Vit et travaille à Londres

(Royaume-Uni)

Fabrice Hybert*

Né en 1961 à Luçon (France)

Vit et travaille à Paris (France)

Christian Jaccard

Né en 1939 à Fontenay-sous-Bois

(France)

Vit et travaille à Paris (France)

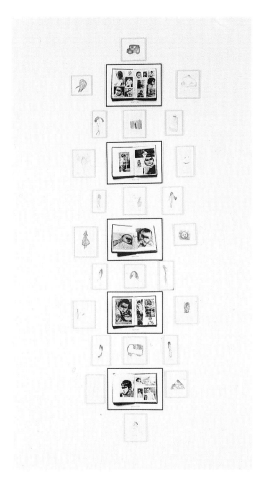

Annette Messager, *Les Enfants aux yeux rayés, mes dessins d'enfant*, détail, 1972
5 photographies et 24 dessins encadrés, une vitrine présentant 2 livres, dimensions variables
Achat, 1990

Alain Jacquet
Né en 1939 à Neuilly-sur-Seine
(France)
Vit et travaille à Paris (France)

Louis Jammes
Né en 1958 à Carcassonne
(France)
Vit et travaille à Paris (France)

Karen Knorr
Née en 1954 à Francfort-sur-le-Main
(République fédérale d'Allemagne)
Vit et travaille à Londres
(Royaume-Uni)

Stanislas Kolibal
Né en 1925 à Orlova
(Tchécoslovaquie)
Vit et travaille à Prague
(Tchécoslovaquie)

Bertrand Lavier*
Né en 1949 à Châtillon-sur-Seine
(France)
Vit et travaille à Aignay-le-Duc
(France)

Ange Leccia*
Né en 1952 à Morsiglia (France)
Vit et travaille à Paris (France)

Jean Le Gac
Né en 1936 à Alès (France)
Vit et travaille à Paris (France)

Julio Le Parc
Né en 1928 à Mendoza (Argentine)
Vit et travaille à Antony (France)
depuis 1958

Eugène Leroy
Né en 1910 à Tourcoing (France)
Vit et travaille à Wasquehal
(France)

Richard Long*
Né en 1945 à Bristol (Royaume-Uni)
Vit et travaille à Bristol

Robert Malaval
Né en 1937 à Nice (France)
Décédé en 1980 à Paris (France)

Étienne-Martin*
Né en 1913 à Loriol-sur-Drôme (France)
Décédé en 1995 à Paris (France)

Mario Merz*
Né en 1925 à Milan (Italie)
Vit et travaille à Turin (Italie)

Annette Messager*
Née en 1943 à Berck (France)
Vit et travaille à Malakoff (France)

Duane Michals
Né en 1932 à Mc Keesport
(États-Unis)
Vit et travaille à New York
(États-Unis)

Thomas Schütte, *Citrons noirs (Schwarze Zitronen)*, 1989
20 éléments, céramique noire émaillée, chaque : 69 x 41 ou 55 x 36 cm
Achat, 1990
Herbert Brandl, *Sans titre*, 1988
Diptyque, huile sur toile
Panneau I : 286 x 130 cm, panneau II : 290 x 130 cm
Achat, 1990

Jean-Pierre Bertrand, *Plaque dessin/jaune*, 1983
Mine de plomb sur papier citron collé sur contre-plaqué
Plaque dessin/rouge, 1983
Acrylique, miel, plexiglas
Chaque élément : 257 x 41,5 cm
Achat, 1983

Giuseppe Penone, *Souffle de feuilles (Soffio di foglie)*, 1979
Bronze et feuilles, 250 x 300 cm
Achat, 1987
Gerhard Richter, *Tableau abstrait (648-2) (Abstraktes Bild, 648-2)*, 1987
Huile sur toile, 225 x 200 cm
Achat, 1988
Mario Merz, *Igloo Fibonnaci*, 1970
Métal et terre séchée, néon, igloo : H. 120 et D. 160 cm
Achat, 1987

Luciano Fabro, *Euclide*, 1984
Métal, 300 x 300 x 300 cm
Achat, 1988
Giovanni Anselmo, *Trois cents millions d'années (Trecento milioni di anni)*, 1969
Anthracite, lampe, tôle ondulée, fil de fer, 30 x 56 x 25 cm
Achat, 1986
Sigmar Polke, *Morse (Walross)*, 1984
Huile et pigments sur toile, 270 x 200 cm
Achat, 1989
Richard Long, *La Ligne de Saint-Just (Saint-Just Line)*, 1986
Schiste rouge, 900 x 100 cm
Achat, 1986
Alan Charlton, *Sans titre*, 1988
6 panneaux, acrylique sur toile, chaque panneau : 248 x 125 cm
Achat, 1989

Jacques Monory, *Velvet jungle n° 13*, 1971
Acrylique sur toile, chacun des 4 panneaux : 130 x 130 cm, le 5ᵉ : 45,5 x 61 cm
Achat, 1984

Valerio Adami, *Figure descendant d'un siège à l'intérieur d'une cafétéria*
(Figura che scende da una sedia in un interno di caffeteria), série *Interior*, 1969
Acrylique sur toile, 197 x 150 cm
Achat, 1970
Hervé Télémaque, *Par le sang n°3 (avec clefs)*, 1973
Acrylique sur toile, 130 x 162 cm
Achat, 1974
Bernard Rancillac, *Diana Ross*, 1974
Acrylique sur toile, 195 x 250 cm
Achat, 1975

Ming*
Né en 1960 à Shanghaï (Chine)
Vit et travaille à Dijon (France)
depuis 1981

Jacques Monory*
Né en 1934 à Paris (France)
Vit et travaille à Cachan (France)

François Morellet
Né en 1926 à Cholet (France)
Vit et travaille à Cholet

Olivier Mosset*
Né en 1944 à Berne (Suisse)
Vit et travaille à New York (États-Unis)

Jean-Luc Moulène*
Né en 1955 à Reims (France)
Vit et travaille à Paris (France)

Jean-Luc Mylayne*
Né en 1946 à Marquise (France)
Vit et travaille à Ardres (France)

Nam June Paik*
Né en 1932 à Séoul
(République de Corée)
Vit à New York (États-Unis) depuis 1964

Dennis Oppenheim
Né en 1938 à Mason City
(États-Unis)
Vit et travaille à New York
(États-Unis)

Yves Oppenheim
Né en 1948 à Madagascar
(Madagascar)
Vit et travaille à Paris (France)

Jean-Michel Othoniel
Né en 1964 à Saint-Étienne
(France)
Vit et travaille à Paris (France)

Panamarenko*
Né en 1940 à Anvers (Belgique)
Vit et travaille à Anvers

Giuseppe Penone*
Né en 1947 à Garessio (Italie)
Vit et travaille à San Raffaele
Cimena (Italie)

Ernest Pignon-Ernest
Né en 1942 à Nice (France)
Vit et travaille à Paris (France)

Jean-Pierre Pincemin*
Né en 1944 à Paris (France)
Vit et travaille à Authon-la-Plaine
(France)

Éric Poitevin
Né en 1961 à Longuyllon (France)
Vit et travaille à Mangiennes (France)

Sigmar Polke*
Né en 1941 à Oels (Pologne)
Vit et travaille à Cologne
(République fédérale d'Allemagne)

Magdalena Abakanowicz, *Foule V (Crowd V)*, 1995-1996
Résine, toile à sac (jute), 27 figures, chacune : 155 x 60 x 32 cm
Don de l'artiste, 1997

Judit Reigl, *Homme jaune*, 1967
Huile sur toile, 236 x 207 cm
Don, 1996
Judit Reigl, *Homme*, 1966
Huile sur toile, 236 x 207 cm
Don, 1996
Étienne-Martin, *Paysage*, 1969
Bois, 204 x 88 x 86 cm
Achat, 1970

Hanne Darboven, *Temps de l'écriture : une vision du monde (Schreibzeit : Weltansichten),* 1975-1980
Encre, collage, sérigraphie sur papier, 1 400 éléments encadrés, chaque élément : 41 x 29,5 cm
Achat, 1992

Ettore Spalletti, *Surfaces (Superficie),* 1990
Pigments sur bois, 300 x 150 cm
Achat, 1994
Grand vase (Grande Vaso), 1990
Pigments sur bois , diam. supérieur : 130 cm, diam. inférieur : 100 cm
Achat, 1991
Sigmar Polke, *Morse (Walross),* 1984
Huile et pigments sur toile, 270 x 200 cm
Achat, 1989

Bernard Rancillac*
Né en 1931 à Paris (France)
Vit et travaille à Malakoff (France)

Jean-Pierre Raynaud*
Né en 1939 à Courbevoie (France)
Vit à Bougival (France) et travaille
à La Garenne-Colombes (France)

Martial Raysse*
Né en 1936 à Vallauris (France)
Vit et travaille à Issigeac (France)

Paul Rebeyrolle
Né en 1926 à Eymoutiers (France)
Vit et travaille à Montigny-sur-Orge
(France)

Judit Reigl*
Née en 1923 à Kapuvar (Hongrie)
Vit et travaille à Marcoussis
(France)

Bernard Réquichot
Né en 1929 à Asnières-sur-Vègre
(France)
Décédé en 1961 à Paris (France)

Gerhard Richter*
Né en 1932 à Dresde
(Allemagne)
Vit et travaille à Cologne
(République fédérale d'Allemagne)
depuis 1984

Claude Rutault*
Né en 1941 aux Trois-Moutiers
(France)
Vit et travaille à Vaucresson
(France)

Niki de Saint-Phalle
Née en 1930 à Neuilly-sur-Seine
(France)
Vit et travaille à Milly-la-Forêt
(France)

Sarkis*
Né en 1938 à Istanbul (Turquie)
Vit et travaille à Paris (France)
depuis 1964

Thomas Schütte*
Né en 1954 à Oldenburg
(République fédérale d'Allemagne)
Vit et travaille à Düsseldorf
(République fédérale d'Allemagne)

Thomas Shannon
Né en 1947 à Los Angeles
(États-Unis)
Vit et travaille à New York
(États-Unis)

Jesus Rafael Soto
Né en 1923 à Ciudad Bolivar
(Venezuela)
Vit et travaille à Paris (France)
depuis 1950

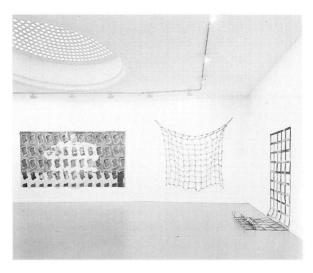

Claude Viallat, *Sans titre*, 1991
Acrylique sur toile de bâche, 240 x 470 cm
Achat, 1992
Filet polychrome
Cordes de couleurs, 280 x 240 cm
Achat, 1974
Daniel Dezeuze, *Sans titre*, 1975
Bois peint, 590 x 135 cm
Achat, 1990

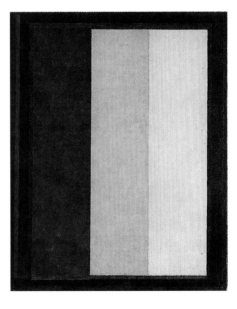

Jean-Pierre Pincemin, *Sans titre*, 1981
Acrylique sur toile, 276 x 225 cm
Achat, 1991

Bernard Frize, *Arbitrage*, 1987
Dispersion et primal sur toile, 220 x 180 cm
Achat, 1989
Jean-Michel Alberola, *Sculpture récente - masses africaines*, 1985
11 éléments et un tirage offset encadré
Acier inoxydable, offset, dimensions variables
Achat, 1990

Robert Combas, *La Bataille de Waterl'eau*, 1982
Acrylique sur toile, 400 x 700 cm
Achat, 1989

Claude Rutault, *Diptyque n° 41 de « définition / méthode »*, 1976
Acrylique sur toile, deux éléments : 64,5 x 130 cm et 24,5 x 130 cm
Achat, 1983
Jean-Marc Bustamante, *Stationnaire II*, 1991
12 éléments, résine époxy et cibachrome monté sur aluminium, chaque élément : 10 x 56 x 56 cm
Achat, 1992
Olivier Mosset, *Sans titre*, 1987
Acrylique sur toile, 210 x 200 cm
Achat, 1992
Ming, *Portrait de Mao*, 1990
Huile sur toile, 300 x 400 cm
Achat, 1991

Bertrand Lavier, *Sans titre*, 1983
Vernis transparent sur miroir encadré, 176 x 236,5 cm
Achat, 1984
Marie Bourget, *Ciel 5ᵉ état*, 1985
Fer peint, peinture cuite au four, 220 x 130 x 15 cm
Achat, 1986

Ettore Spalletti*
Né en 1940 à Capelle Sul Tavo
(Italie)
Vit et travaille à Pescara (Italie)

Daniel Spoerri*
Né en 1930 à Galatzi (Roumanie)
Vit et travaille à Paris (France)

Georges Tony Stoll
Né en 1955 à Marseille (France)
Vit et travaille à Paris (France)

Hervé Télémaque*
Né en 1937 à Port-au-Prince (Haïti)
Vit et travaille à Villejuif (France)
depuis 1961

Jean Tinguely*
Né en 1925 à Fribourg (Suisse)
Décédé en 1991 à Berne (Suisse)

Gérard Titus-Carmel
Né en 1942 à Paris (France)
Vit et travaille à Oulchy-le-Château
(France)

Niele Toroni*
Né en 1937 à Muralto (Suisse)
Vit et travaille à Paris (France)

Patrick Tosani*
Né en 1954 à Boissy-L'Aillerie
(France)
Vit et travaille à Paris (France)

Daniel Tremblay
Né en 1950 à Angers (France)
Décédé en 1985 à Angers

Felice Varini
Né en 1952 à Locarno (Suisse)
Vit et travaille à Paris (France)

Jan Vercruysse
Né en 1948 à Waregem (Belgique)
Vit et travaille à Bruxelles (Belgique)

Françoise Vergier
Née en 1952 à Grignan (France)
Vit et travaille à Paris (France)

Michel Verjux
Né en 1956 à Chalon-sur-Saône
(France)
Vit et travaille à Paris (France)

Claude Viallat*
Né en 1936 à Nîmes (France)
Vit et travaille à Nîmes

Villeglé*
Né en 1925 à Quimper (France)
Vit et travaille à Paris (France)

Lawrence Weiner
Né en 1942 à New York
(États-Unis)
Vit et travaille à New York
(États-Unis) et à Amsterdam
(Pays-Bas)

Louise Bourgeois, *Araignée (Spider)*, 1975
Acier, 338 x 643 x 469 cm
Don de la Société des amis du musée d'Art moderne de la Ville de Paris, 1995

Georg Baselitz, *Autoportrait à la tache bleue (Selbstporträt mit Blauen Fleck)*, 16 janvier-15 avril 1996
Huile sur toile, 290 x 205 cm
Don de la Société des amis du musée d'Art moderne de la Ville de Paris, 1997

James Coleman, *Voir par soi-même (Seeing for oneself)*, 1987-1988
3 projecteurs carrousel, diapositives, magnétophone en son digital
Achat, 1989

Fabrice Hybert, *9 POF*, 1992-1994
9 prototypes d'objets en fonctionnement
Don, 1997

ENTRÉE DES VISITEURS

11, avenue du Président-Wilson
75116 Paris
Tél. 01 53 67 40 00

HEURES D'OUVERTURE

Du mardi au vendredi de 10 h à 17 h 30
Samedi et dimanche de 10 h à 18 h 45
Fermé lundi et jours fériés

TRANSPORTS

Métro Alma-Marceau ou Iéna
RER : Pont de l'Alma (ligne C)
Bus n°s 32, 42, 63, 72, 80, 92

SERVICE DE LA COMMUNICATION ET DE L'ANIMATION

- Répondeur-information : 01 40 70 11 10
- Minitel renseignements : 3615 Paris
- Répondeur-information du service éducatif
et culturel : 01 40 70 17 50
- Service éducatif et culturel : 01 53 67 40 80
- Pour les groupes, inscriptions et réservations
obligatoires : 01 53 67 40 81
- Amis du musée : 01 53 67 40 40

Nam June Paik, *Olympe de Gouges*, 1989
12 moniteurs couleur encastrés dans des postes de télévision en bois,
un lecteur de vidéo-disque laser, fleurs en tissu, 300 x 200 x 50 cm
Don de l'artiste, 1989

Directeur de publication :
Suzanne Pagé

Coordination générale :
Juliette Laffon et Camille Morineau

Historique du musée :
Jean-Louis Andral, Suzanne Pagé

Rédaction des notices :
Gérard Audinet (G. A.)
Martine Contensou (M. C.)
Gladys Fabre (G. F.)
Dominique Gagneux (D. G.)
Sophie Krebs (S. K.)
Juliette Laffon (J. L.)
Camille Morineau (C. M.)
Jacqueline Munck (J. M.)
Miriam Simon (M. S.)

Conception graphique :
Viviane Linois

Fabrication :
Sabine Brismontier assistée d'Audrey Chenu

Photogravure :
Fotimprim, Paris

Flashage :
Typophot, Paris

Papier :
BVS mat 135 g, Muller Rénage

Impression :
Imprimerie Hérissey, Évreux

Achevé d'imprimer sur les presses de l'imprimerie Hérissey
à Évreux, en février 1998

Couverture :
Panamarenko, *U-Control III*, 1972, bois, film polyester, carbone,
bambou, métal
Sonia Delaunay, *Rythme*, 1938, huile sur toile
Robert Delaunay :
Rythme n° 1, 1938, huile sur toile
L'Équipe de Cardiff, 1912-1913, huile sur toile
Nu à la coiffeuse, 1915, huile sur toile
Symphonie colorée, 1915-1917, huile sur toile
Rythme, joie de vivre, 1930, huile sur toile
Tour Eiffel, 1926, huile sur toile

Dépôt légal février 1998
ISBN 2-87900-108-9

Diffusion Actes Sud
Distribution UD-Union Distribution
F7 4149
Paris-Musées, 28, rue Notre-Dame-des-Victoires, 75002 Paris

Crédits photographiques :
Photothèque des musées de la Ville de Paris
Photos : Chevallier, Delepelaire, Philippe Joffre, Karin Maucotel,
Patrick Pierrain, Jean-Yves Trocaz, D.R.
© André Morin, MAM/ARC
Christophe Walter © Paris-Musées